神なき時代の「終末論」

現代文明の深層にあるもの

佐伯啓思
Saeki Keishi

PHP新書

まえがき

本書の成立の契機はきわめて単純なものだが、その経過はそれほど単純ではなかった。

私はこの数年、毎年のように、ＰＨＰ研究所発行の月刊誌『Ｖｏｉｃｅ』に論考を寄せている。それらを一書に収録して新書にしたいという編集部の申し出があり、即座に承諾した。新型コロナ・パンデミックも一段落つき、コロナ後の時代を展望するという趣旨であり、多少、手を加えればよかろうと思ったのである。

しかし、実際に読み返してみれば、その時々の時事的論考を羅列してもあまり意味はなく、とても満足できるものではない。確かにコロナは収束しつつあるが、それにかわってロシア・ウクライナ戦争が生じた。そして、この戦争には、日本も積極的な関わりを表明している。２０２３年5月に開催されたＧ7広島サミットにはゼレンスキー・ウクライナ大統領も招かれ、日本は、西側諸国の団結を訴え、ウクライナ支援の旗を振ったのである。別のいい方をすれば、ロシアとの敵対を世界に向けて宣言したわけである。

しかし、本当のところ、われわれは、ロシアやウクライナ、それにロシアと西欧の確執をどれだけ分かっているのだろうか。「西側諸国」とは何なのか。「自由と民主主義を守れ」というが、それが何を意味するのか、われわれはまともに考えたことがあるのだろうか。さらに、「自由と民主主義」の旗を掲げる今日（こんにち）のグローバル文明とは何なのであろうか。

こういう疑問が次々とでてくる。それに対する完全な解答は不可能であるとしても、これらの疑問に対して私なりの「見当」をつけたいと考えた。

私なりの「見当」は、「神なき時代」である現代文明の背後にも、依然として「神ありき時代の痕跡（こんせき）」をみるというものである。まことに主観的な仮説ではある。ただ、本書は、ロシア・ウクライナ戦争そのものを論じたものではない。主題は、あくまでグローバリズムと呼ばれる現代文明そのものにある。

結局、『Ｖｏｉｃｅ』掲載の論考は一本だけにとどまり（『Ｖｏｉｃｅ』２０２２年8月号所収）、それもかなり手を加えている（本書第3章）。そして、もう一本、雑誌『ひらく』第8号（２０２３年1月発売）掲載の論考「ロシアの戦争と西欧近代」を加筆のうえ収録し（本書第4章）、他は書き下ろしである（第1章、第2章、終章）。

また、最後に斎藤幸平さんとの対談を収録した。これは、2023年の2月に大阪のMARUZEN&ジュンク堂書店で行われた対談記録に多少の手を加えて『ひらく』第9号（2023年6月発売）に収録したものの再録である。若きマルクス主義者を自認する斎藤さんと、老いたアンチ・マルクスの私では、歳の開きだけではなく、その思想的な立ち位置も大きく違っている。しかし、それにもかかわらず、現代の資本主義文明に対する批判的眼差しは共通している。あわせて読んでいただければ幸いである。最後に、本書の編集を担当していただいた西村健さんにも深謝したい。

神なき時代の「終末論」　目次

第1章

現代によみがえる終末論

第1節 ❖ われわれが置かれている分岐点

楽観主義者たち

われわれはいまどういう世界に生きているのだろうか。さしあたり、その世界を「現代文明」と呼んでおくと、この「現代文明」の中心には次の三つの柱がある。「グローバリズム」「テクノ・イノベーション」「経済成長主義」、この三つである。そのことに異を唱える人はそれほどいないであろう。

この三本柱あるいは三位一体（さんみいったい）が、人間活動の自由を拡大し、新しい世界へと導き入れ、そして富と豊かさをもたらす、とわれわれは考えている。それこそが、「現代文明」という大いなる可能性の世界であり、この三本柱をいいかえれば、「自由の拡大」「活動条件の拡大」「富の拡大」ということになろう。いずれにせよ「拡大路線」であり、ともかくもこの路線をひた走ることが幸福を約束するというのである。これが現代という時代である。

だが、他方で、これらの「拡大路線」が本当にわれわれを幸せにするのだろうか、という疑いもなかなか消せない。そもそも幸せとは何か、というのは、結構難しい問いであるが、そこまでいわずとも、果たして、この「拡大路線」がこのままの調子で続くのだろうか、という疑いは多くの人がもっているのではなかろうか。

「自由の拡大」「活動条件の拡大」「富の拡大」は、それはそれで結構なことであるとしても、これを柱とする現代文明はもはや臨界点にまで来ているのではないか。いいかえれば、今日、「グローバリズム」「テクノ・イノベーション」「経済成長主義」はもはや限界なのではないか。こういう疑念である。

それをいいかえれば、われわれの「欲望」のあり方は本当にこのままでよいのか、という疑念にもなろう。いったいどこまで「世界」を拡大し、「技術」を進歩させ、「富」を積み上げれば、われわれの欲望は満たされるのだろうか。

もちろん、この三つの拡大路線が限界にあるかどうかなど、いまここで分かるわけではないのだが、現在、まったく違った二つの見通しが競い合っている。

一方には、こんな路線は続くはずはない、こんなことを続けておればたいへんな事態に陥る、という悲観論がある。確かに悲観主義の状況証拠はいくらでも見つかるだろう。

だが他方で、楽観主義者がいる。楽観主義者は、何が起きても常に楽観的であることを信条とする人たちで、その信条によって彼らは生き延びてきた。楽観的になれば、現にこの現実もうまくゆくというのが楽観主義の真骨頂なのである。

かくて今日の「超」のつく楽観主義者は、「グローバリズム」「テクノ・イノベーション」「経済成長主義」は、それをうまく結合すれば、いくらでも拡大路線は可能だという。自由や富や便利さを求めるのは、人間の本性だと考える彼らは、歴史の明るい未来を決して疑わない。

もしも、本当に未来がバラが咲いたような楽観的図柄で埋め尽くされるのならば、それはそれでよいだろう。しかし、そうでなかったらどうするのか。それに、かなり先の話だとふんでも、文明の高度な完成などということがありえるのだろうか。いずれ現代文明のもつ基本的な矛盾はこの世界そのものに破滅的な亀裂をもたらすのではないだろうか。

拡大路線の現状

考えてみよう。そもそも現代文明の核心にある「グローバリズム」「テクノ・イノベーション」「経済成長主義」は、いまこの瞬間を眺めても果たして良好に作動しているのであろうか。

たとえば、冷戦以後をみてみよう。今日のいわゆるグローバル世界が調和的な世界秩序を実現しているとはとてもいえまい。欧米とイスラム主義者の対立、アメリカと中国の対立、ロシアとウクライナの対立、イスラエルとパレスティナの対立が目の前にあり、貿易や資源をめぐる国家間摩擦は常に生じる。

「テクノ・イノベーション」はどうか。ＩＴ技術の急展開は、社会生活の利便性を向上させたともいえるが、それをはるかに上回る混乱を社会に強いている。ネットのフェイク情報のおかげで、小学生までが、自分の悪口が書かれていないか、日々、戦々恐々とするなどという時代を文明の進歩だと呼べるのであろうか。

社会をもっとも深いレベルで支えているものは、人々の信頼関係であるが、「フェイク現象」は、人々が共有できるはずの真理や事実に対する当然の信頼を崩壊させるからである。そこへもってきて、ＩＴ革命は、生成ＡＩという恐るべき怪物を生みだした。

こうなると、もはや「フェイク現象」などともいっておれない。「フェイク」という概念は、その裏側に、人間にとっての真なるもの、という健全さをまだもっていた。

しかし、あらゆる言説や解説や見解が、もはや人間のものなのか、ＡＩのものなのかが不分明となれば、そもそもフェイクであるか否かというその境目さえも意味を失ってゆくだろう。「真なるもの」という確かさの底が抜けてしまった文明は、おそらく崩壊へと向かうほかなかろう。

「経済成長主義」に関してはもはや多言を要しまい。この高度なグローバル文明にあって、先進国の経済成長率は傾向的に低下している。フランスの経済学者トマ・ピケティが『21世紀の資本』で述べたように、先進国の経済成長は限界に近づいており、それを無理に成長させようとすれば、ますます富の格差がひらくであろう。グローバルな市場中心主義（新自由主義）は、決して先進国の「普通の人々」を幸せにはしなかったのである。

方法的悲観主義――意図的な脱成長主義

それでも楽観主義者はいうだろう。グローバル競争は確かに様々な矛盾や問題を生みだすだろう。だが、人類はそれらを合理的な科学的知見や先端技術の総動員によってそのつど解決してきたではないか。

19世紀初頭のイギリスを襲った窮乏（きゅうぼう）、すなわち「マルサスの罠（わな）」に対しては、イギリスは産業革命で対処し、20世紀初頭の帝国主義に対しては、中央銀行による通貨管理を整備し、アメリカは国内経済を活性化する大量生産方式を開発した。

もっと新しいところでは、1970年代の公害問題に対しても、先進各国は新たな技術開発によって乗り切った。80年代のグローバル化に対しては、アメリカはコンピューター科学と金融工学を駆使することで国際金融市場を錬金術の実験場に変えた。

こういう実績をみれば、グローバル競争がもたらす今日の「危機」も、人間の合理的能力への最新の試練、しかも何度も繰り返されてきた試練のひとつに過ぎないではないか。

経済成長率の低下はイノベーションによって乗り越えられ、環境問題もテクノロジー問題におきかえ可能である。地球上にはまだまだ可能性に満ちた未開発地帯が一面に広がり、グローバリズムはさらに進展する。仮に地球が物資で満杯になり、資源が枯渇（こかつ）すれば、宇宙へ飛びだせばよい。フロンティアは不滅である。

この威勢のよい超楽観論はなかなか気持ちがいいのだが、私はこの超楽観論には与（くみ）しない。「これまでうまくいったのだから、これからもうまくゆく」という慣習的な適応的期待形成にも与しない。そんな根拠はどこにもない。

宇宙のビッグバンのように「無限の拡大」を可能ならしめるのは「神」だけである。そして人間は「神」ではないのだから、「拡張主義」は必ず限界に達するであろう。いや、もしも本当に神がいれば、この人間の思い上がりに対して破滅的な罰を下すだろう。

だとすると、今日の拡張主義の帰結はどうなるのだろうか。それは、風船を無限に膨らませることができないように、どこかで突然に破裂するであろう。無限拡張の文明はいずれきわめて大規模なクラッシュに見舞われるであろう。繁栄はいっきに崩壊し、様々な構築物の壮大な崩壊が始まる。築き上げられてきた文明が音を立てて崩れる。

それが経済的破局なのか、人類全体を襲う環境破壊なのか、大規模戦争なのか、あるいは70年代初頭に「ローマクラブ」が警鐘を鳴らした急激な資源の枯渇なのか、新型病原体のパンデミックなのか、はたまた暴走するＡＩによる人間支配なのか、それは分からない。しかし、このように並べてみても、候補はいくつでもある。そのいずれもが十分な文明破壊の可能性を秘めている。

だが、そもそも徹底した楽観主義などというものは本当にあるのだろうか。たいていの場合、楽観主義の背後には、いつか破局に陥るという恐怖が隠されているのではなかろうか。楽観主義は破局論にふたをして恐怖を閉じ込めているだけではなかろうか。

将来のことなど何も考えずに、日々の快楽や利益や楽しみに精をだしておれば、人は自然に楽観的になってしまう。今日と同じことが明日も続けばそれでいいのだから。しかし、その楽観の背後には、一種の悲観論が宿っている。いずれ、この「拡張路線」には破局が訪れるのではないか、という無意識の恐怖があるのではなかろうか。

そこでこういうことになろう。

まず、この「拡張主義」を続けてゆけば、グローバル世界そのものがいずれ破局に見舞われる、という認識をもつことである。これはフランスの思想家のジャン＝ピエール・デュピュイの言葉を借りれば「破局主義」である。

そうであれば、あえて「破局主義」に立つことによって、それを避けるための方策を準備するというのだ。そのような反転を彼は「賢い破局主義」という。たとえば人生の先に必ずあるものは「死」である。そのことを自覚すれば、死をできるだけ先延ばしし、あるいはそれを穏やかに迎えられるように準備するであろう。

「賢い破局主義」といってもよいが、私はそれを「方法的悲観主義（メソドロジカル・ペシミズム）」と呼んでおきたい。それは、意図的な脱グローバリズム、脱成長主義である。

改めていおう。問題は、「拡張主義」の段階的な抑制、つまり脱グローバリズム、脱成長主義である「スローバリゼーション路線」をとるか、もしくは、人間の理性能力を頼りに可能な限り「拡大路線」をひた走り、後は神に委ね、もし破局がくればそれを淡々と受け入れるという方法を取るかであろう。

そのどちらかしかない。前者は「方法的悲観主義」であり、後者こそは本来の意味での「破局主義（カタストロフィズム）」である。それは破局を覚悟して突き進むからである。そのときまでは満面の笑みで。

その意味で、われわれは今日、きわめて深刻な分岐点に置かれている。どうするかはわれわれ次第である。

「神」はいる?

常識的判断に耳をすませば、「方法的悲観主義」がもっとも健全だという声が返ってくるであろう。私には、「方法的悲観主義」しか道はないようにみえる。しかもそれは、「悲観主義」とは銘打っているものの、決して悲惨な話ではない。そもそも人類は19世紀に入るまでは、ほとんどゼロ成長、ゼロ・イノベーションであった。日本でいえば、江戸時代まで、きわめて穏やかな定常型社会であった。人間が「無限拡張」の夢に取りつかれたのは、せいぜいこの200年ほどではなかったか。

にもかかわらず、この常識は今日、なかなか共有されない。では超楽観論や無意識の「破局主義」は私の知らない別の常識なのだろうか。何がこの「無限の拡張主義」を支えているのであろうか。仮にそれが破局に行き着くとしても、である。

少し奇妙なことをいうが、先ほど私は、「破局主義」は、可能な限り拡大路線をひた走り、後は「神」に委ねる、と述べた。それは比喩表現である。だがもしかしたら、「神」は単なる比喩ではないのかもしれない、とも思うのだ。「神」はみえない天上でわれわれを操っているのではないだろうか。

人間はやるだけのことをやる。最後に結審するものは「神」である。審判を下すのは人ではない。いずれ終末はやってくる。終末の日を演出するのは「神」であって、人間の役割ではない。その終末が、富の無限拡大の果てに実現する至福の状態なのか、もしくは、それが文明の破局という悲惨な末路なのかは、人間には分からない。それでよいのではないか。

「終末願望」とはいわないが、「終末論的思考」がここに深く影を落としている。終末が至福千年的なユートピアなのか、それとも世界を火で焼くようなカタストロフィーなのかは別として、ここには、人間活動の世界を終末へと駆り立てる時間意識がある。終末論とはひとつの歴史意識にほかならない。

今日、人間は身体的にも頭脳的にも自己自身を超越し、生物体としての自己を複製し、故郷である地球を飛びだして異空間である宇宙へ自らを投じつつある。ホモ・サピエンスは自らの領分を超えでて超人間とでもいいたくなるような何者かへと変容しつつある。

ユダヤ人の哲学者ユヴァル・ノア・ハラリは、近年のこの人間の自己超越、つまり「超人化」に、人間の内なる欲望をみた。「神」になろうとする人間の恐るべき欲望であるが、確かに、今日、人は「神」へ向けて自己進化を遂げようとしている。ホモ・サピエンスはホモ・デウス（神に進化したヒト）へと変質しようとしている。

そして「神」からすれば、それこそが人の犯す最大の罪科（ざいか）にほかならない。神と人の間には決して超えることのできない永遠の溝があり、そのために、人は主人たる神の僕（しもべ）であるほかない。それは人の宿命である。この宿命を自ら変更してはならないのである。

とすれば、人間の身の程知らずのこの傲慢こそが破局をもたらすという構図は、確かに、ユダヤ・キリスト教の終末論そのものであり、神の審判さえも連想させるであろう。

第2節 ❖『旧約聖書』と終末論

「歴史的・文化的基底」の存在

今日、われわれの目の前で繰り広げられている顕著な戦争や紛争を眺めてみよう。ロシアとウクライナ、ロシアと欧米、イスラエルとパレスティナ、欧米とイスラム諸国、ロシアとイスラム諸国、不安定な中東地帯。こう並べてみると、これらの当事国に共通するあるひとつの性格に気づかざるをえないのではなかろうか。それは、これらの国や地域が、基本的に『旧約聖書』に端を発する宗教的精神と深い関わりをもつ、という点である。

もちろん、今日のロシア・ウクライナ戦争やロシアと欧米の対立が宗教戦争だなどという と暴論であろう。学術的根拠も実証的裏付けも何もない。そんなことを述べるつもりはまったくないし、この戦争の背後に宗教的動機があるというわけにもいかない。イスラエルとハマスの戦闘に関しても、基本的に領土紛争だとするのが通常の理解である。

しかしそれでも、なぜ領土紛争が容易には解決しえないのかと問えば、その背景にある独特の思考様式が横たわり、それが何らかの作用を及ぼしていると考えたくもなるのである。しかもその思考様式を典型的に示しているのが『旧約聖書』に端を発する宗教的精神なのではなかろうか。

そのことはまったくの出鱈目(でたらめ)ともいえまい。それはロシアと欧米の関係についてもいえる。この対立には、もちろん地政学的事情や資源問題や国家利益

サミュエル・ハンチントン
(写真提供：共同通信社)

があることは間違いないが、そこにいたる歴史的経緯も含めて、この地政学的対立の背後へ回ってみれば、かなり変色はしているものの、宗教的なものが浮かび上がってくるのではなかろうか。

文化というものは、時代とともに変容しつつも、同時に容易には変化しえない「型」をもつ。それは歴史的に形成され、また保存されてゆく集団的無意識である。発想の型、思考の型、制度化・慣習化された生活の型がある。それこそがある国や地域の文化に独自性を与え、また文化を根底から支えている。それは「歴史的・文化的基底」といってよいだろう。

後にも述べるが、アメリカの政治学者のサミュエル・ハンチントンは、この歴史的・文化

的基底に宗教意識をみた。とすれば、ロシア、ウクライナ、ヨーロッパ、アメリカ、イスラエル、それにイスラム諸国の歴史的・文化的基底に「旧約聖書的世界」を想起することはあながち無謀なこととも思えないのである。

そこで、もしそうだとすれば、今日の欧米主導の「グローバリズム」「テクノ・イノベーション」「経済成長主義」という現代文明の「拡張主義」の根底にも、ほとんどそれとは意識もされない暗黙の聖書的な思考をみることもできるのではないだろうか。先に述べた終末論や至福千年的思考など、まさしく旧約聖書的な思考の痕跡なのではなかろうか。

イスラエルの民と神との契約

ユートピアへ行き着くのか、それともカタストロフィーに陥るのかはともかくとして、ここには終末論的な歴史観がみられる。私は聖書には不案内だが、本論の必要上、少しだけ脱線して聖書による終末論をざっとみておきたい。

『旧約聖書』では、『創世記』における、神とアブラハムの契約によってイスラエルの歴史が始まる。契約とはいうものの、神がアブラハムを選んだのである。神はアブラハムを父祖とする一族の繁栄を約し、彼らの神となり、もともと寄留者であった彼らに、カナンの土地を永遠の所有地として与える、という。そのためには、アブラハムの子孫たちは必ず神との契約を守らなければならない。最初の契約は、神に選ばれた民としての「割礼（かつれい）」という肉体的な痕跡であった。

ここから、今日までいたるユダヤ人の歴史が始まることになった。アブラハムに対して神はすでにこう述べていた。「知るがよい。お前の子孫は異郷の地で寄留者となり、四〇〇年にわたって奴隷として使役させられる。しかし彼らは多額の財産をもってそこから脱出し、四代目にこの地（パレスティナ）に戻ってくる」と（旧約聖書Ⅰ『創世記』〈岩波書店〉）。

いうまでもなく、これは、エジプトにやってはきたものの、やがて奴隷として使役に従事させられたイスラエルの民の出エジプトであり、40年にわたる荒野放浪をへたカナンへの帰還、そして王国建設というユダヤ人の歴史の幕開けであった。

モーセに率いられた出エジプトの後、シナイ山での神とモーセとの契約によって決定的な局面を迎える。新たな「シナイ契約」によって、神は改めてイスラエルの民を選び取ったと告げ、パレスティナの地の授与を改めて約束する。出エジプトの成功も神の導きであった。ここに、神とイスラエル諸部族連合体との契約ができる。ただし、シナイ契約では、厳しい「律法」の厳守が求められる。この契約が守られなければ、イスラエルには神罰が下されるのである。これがおおよそ紀元前13世紀頃の出来事である。

その後、イスラエルの民は、パレスティナの地で、バアル神をはじめとする様々な祭儀の神を祀る諸部族と激しい抗争に明け暮れる。ヤーウェの神は、当時の多神教やオルギアなどの集団的陶酔、神秘的な秘儀などをもつ異教を激しく攻撃した。イスラエルの民に徹底した律法遵守の正しい生活を求めた。

諸部族との抗争のあげくに、イスラエルの民は、やがてカナンの地を手にし神殿を建設し、自らの王国を成立させた。ところが、その後も、イスラエルは、北イスラエル王国と南ユダ王国への分裂、アッシリアによる北イスラエル王国の滅亡、バビロニアの侵攻とバビロン捕囚、ペルシャによる支配という苦難の歴史を延々と経験する。

そして、『旧約聖書』の編纂が始まったのがペルシャ支配のもと、紀元前５―４世紀とされている。もちろん、これは、出エジプトやシナイ契約よりはるかに後のことなので、聖書編纂は、バビロン捕囚やペルシャ支配、また、大国エジプトとの抗争など、次々と生じる苦難の時代背景に置いてみなければならない。

イスラエル人は、なぜかくも長きにわたってこれほどの苦難を耐え忍ばなければならないのか。自分たちに罪があるのか。果たして救いはないのか。どうすれば救われるのか。こういう自問自答が繰り返されていたであろう。イスラエルの神を見放すものも続出したであろう。そのことが聖書の編纂につながったのであった（聖書編纂はもともと他宗教に寛容なペルシャ政府が、イスラエルの信仰を管理しようとして命じたものであるが、同時に、イスラエル自身が自ら法を作り、それを支配者に提出するので、イスラエルはその律法に厳しく縛られることとなる）。

したがって、アブラハム契約、出エジプト、モーセ契約などは、この紀元前5―4世紀の苦難の時点で、過去に遡って描きだされた（想起された）ものである。一種の「あとづけ」の歴史書ということになる。イスラエルが神によって選び取られた民であるという選民思想は、このような背景を知らなければ理解できない。この選民思想の特異性は、人と人との契約のような対等なものではなく、神が一民族を自らの僕とするといういわば主従契約によって生みだされた。神は主であり人は僕である。人は神に絶対的に服従する。

服従するとは「律法（トーラー）」の徹底した遵守である。「律法」とは、さしあたり、モーセ五書と呼ばれる『創世記』『出エジプト記』『レビ記』『民数記』『申命記』に描かれたイスラエルの歴史と神の事跡から読み取れる神の命令（約束）であり、その徹底的な遵守である。しかも、この契約は双務的な応報原理にもとづくものではなかった。

それは、「律法」を守り神を信仰すれば、神は必ずイスラエルを保護し幸福を約束する、という応報原理をもつものではない。対等の双務契約なのではない。『ヨブ記』に見られるように、神はあくまでフリーハンドであり、主導権は神にある。逆に律法違反は神の怒りを招く。したがって、イスラエルの悲惨な状態の責任は神にではなく、イスラエル自身にある、ということになる。恐ろしく厳しい契約であり宗教であった。

イスラエルの側にはもはや選択権はない。神は繰り返し自分を唯一の神としてその僕となれ、と要求する。いたる箇所で自分の力を人に示す。神の怒りが爆発するのは、イスラエルの民が異教の神になびき、多神教の流儀で祭儀を行い、偶像崇拝を行うときであった。これはしばしば、女性の姦淫（かんいん）に対する神の怒りとして表現されているが、『旧約聖書』に描かれた神の姿は、総じてイスラエルの民の律法違反に対する激しい怒りである。

イスラエルの民は、この唯一の神に従えば、神は「万軍の主」として、イスラエルのあらゆる戦いを率いて勝利に導くことができる。世界を創造した神は圧倒的な力を有する「戦いの神」でもあった。まさに神は「全能」なのである。

しかし、それにもかかわらず、イスラエルの民は、その神に従おうとしない。戦いに勝てば、それは自分たちの力だと思い上がり、享楽にふける。異教の偶像を崇拝する。神をないがしろにし、思い上がっている。神の罰が下るのは当然である。

こうなると、イスラエルの側からすれば、ひとたびこの契約に入ってしまった以上、自らに降りかかる苦難の責任はすべて自らにある。いいかえれば、イスラエルの苦難が続く限り、その責任は自らが引き受けるほかない。罪の原因は常に人間の側にある。

この自己罪責状態が続くと、イスラエル人の信仰心も薄らいでくるだろう。そうなるとしばしば預言者が登場する。アモス、ホセア、イザヤ、ミカ、エレミヤ、エゼキエルなどの預言者である。人である預言者が神の言葉を与えることこそが、まさにイスラエルが神の選民であることを示しているのである。

彼らは、神のもとで贖罪(しょくざい)を願い、公義と正義を行うことを民に向けて強く説く。そうすれば「怒りの神」は「憐(あわれ)みの神」としてイスラエルに恩寵(おんちょう)をもたらす。そしてこの預言のなかから終末論や救世主待望（メシアニズム）が登場してくるのである。

ユダヤの黙示思想とキリスト教

たとえばイザヤの預言は、アッシリアの支配（第一イザヤ）、バビロン捕囚（第二イザヤ）、ペルシャの侵入期（第三イザヤ）とイスラエルの深い苦難の時代のものであるが、そのなかで、イザヤは、第一預言で一種の終末論とその後の神の王国について述べ、さらには「終わりの日々」に神は国々を裁き、民に判決を下し、人々の剣を鋤(すき)にかえ、槍(やり)を鎌にかえる、という。

『イザヤ書』は神の偉大さを何よりも「万軍の主」として、絶対的な力として描く。それゆえ、神との約束違反は絶対的な人間の罪であって、弁明の余地はない。南北へのイスラエルの分裂と北王国の滅亡はイスラエルの民の罪のゆえであった。この神の絶対的な力の前で、神によって選び取られた神の僕としてのイスラエルに対し、神は、かつての日を回想させ、神の慈愛と恩寵を繰り返し思い起こさせる。そして、やがてくる最終的な神の救済を信じよ、という。そのとき、ヤーウェの栄光は、「すべての諸国民」のうえに及ぶのである。

こうして最後の審判の後に世界の平和が実現する。最後の日に神は人々を救済する。しかも神の偉大な業は「諸国民」に知らされ、それは「全地に行き渡る」というのである。

すでに神の救済はイスラエルだけのものではない。もともとこの世界も人類も神の創造であるのだから、ある意味では当然のことだが、神による救いは全人類に及ぶとして、救済は普遍化されてゆく。いやそれだけではない。ヤーウェというイスラエルの神こそが、全人類の唯一の神だというのである。他に神はいないのである。

そして第三イザヤにおいて預言者は述べる。イスラエルの民の罪を一身に背負ったものが現れる。彼は人々に蔑(さげす)まれ、虐(しいた)げられ、しかも神に打たれ痛めつけられる。それは彼がイスラエルの民の罪を背負い、その咎(とが)を一身に負っているからである。彼は決して暴虐をなさず嘘偽(うそいつわ)りをいわなかったが、神は彼を打ち砕き、病み果てさせた。こう『イザヤ書』には書かれている。このイスラエルの罪を一身に背負った代理贖罪の思想こそが、後のキリスト教の登場に大きな影響を与えたことはいうまでもない。

ペルシャの比較的緩やかな支配の後にギリシャの侵攻をへて、最終的にイスラエルは、73年の有名なマサダの戦いにおける集団自殺によって（第1次ユダヤ戦争）、事実上、ローマ帝国に滅ぼされた。都市エルサレムも神殿も70年に破壊された。これ以降、イスラエルの民（ユダヤ人）はディアスポラとして世界中に散らばってゆくが、バラバラの彼らを、地球の果てにあっても常に結びつけているものこそ律法であった。

もはや神殿は破壊され約束の地は失われた。神を祀る場所は地上にはない。しかし、言葉で書かれた律法だけは、いかなる土地にあっても神への信仰をつなぎとめる。神の実在は律法の言葉に示されている。「言葉」こそが神の意思なのである。そして律法（神の言葉）に従っている限りで、預言者が述べた神の救済を信じることができるのである。

エルサレムがローマ帝国によって占拠された紀元前１世紀には、すでに黙示思想はユダヤの間で広まっていたようであるが、それは、ユダヤ人がディアスポラとして世界へと流浪するにつれ、終末論と救世主待望として世界へと拡散していった。

たとえば『ヨハネ黙示録』の成立はローマ帝国によるエルサレムの陥落の頃（紀元70年前後）とされているが、この典型的な黙示文学には、神とサタンの最後の争いと終末の様相、神による審判、そして選ばれた者の復活と千年王国の到来が描かれている。

『ヨハネ黙示録』は、『新約聖書』に含まれていて『旧約聖書』ではない。にもかかわらず、この黙示録の素材は基本的に『旧約聖書』のものであり、当時のユダヤ教黙示思想をキリスト教へと受け渡すものだったといえよう。

すでに『旧約聖書』のいくつかの預言者によってキリスト（救世主）の到来は予言されていた、とキリスト教は考える。たとえば、『旧約聖書』に含まれる『ダニエル書』には「天の雲にのって人の子のような者がやってくる」とある。支配権と栄誉と王権が彼に与えられ、すべての国民や民族は彼に仕える。これもメシアの到来と解された。そしてイエスこそがキリストであった。

救世主はすでに現れているのである。そのことを人々は分かっていないだけである。しかし、いずれこの世の終末はやってくる。そのときに、真に信仰深く正しく生きたもののみが救われ、永遠の命が与えられる。真実のキリスト教徒だけは救われるのである。

イエスはいうまでもなくユダヤ人であるが、彼が異端であったのは、律法主義に対してはきわめて批判的であったからである。律法と神殿の絶対的権威をイエスは否定した。律法の厳守ではなく、神への深い信仰という個人の内面の真実を重んじたからである。「律法」と「正義」よりも、「愛」と「信仰」をより強く説いたのである。

ユダヤ教とキリスト教の関係については論ずるべきことは多々あるが、それは本書の関心ではない。ただ次のことを確認しておけば十分である。ユダヤ教のなかではぐくまれた、終末論と救世主待望（メシアニズム）を軸にした黙示思想は、ユダヤ戦争の頃に、イエスこそキリスト（救世主）であるというキリスト教へと受け継がれることとなった。いや、ユダヤの黙示思想こそがキリスト教の母体となったとさえいえるかもしれない。

旧約聖書的世界観

少し本論から離れてユダヤ・キリスト教の終末論（エスカトロジー）、救世主思想（メシアニズム）についてスケッチしておいた。このような初歩的な解説をしたのは、ほかでもない、ここに示された歴史観、世界観が、2000年以上の時を隔てて、現代の西欧思想、さらにはグローバリズムを牽引する思想を理解するうえで、きわめて重要な意味をもつと思うからである。

このスケッチからも『旧約聖書』がいくつかの大きな特徴をもっていることが分かるであろう。本書が関心をもつのは、あくまで今日の世界を主導する歴史意識である。そこで、あくまで本書の関心からみたいくつかの特質を列挙しておこう。

(1)イスラエル王国の建設が神の導きによる出エジプトから始まったように、ここには、いわば奴隷解放の思想がある。他国で圧政にあえぐもの、使役に使われているものの抑圧からの解放。これはキリスト教でさらに普遍化され、貧しいもの、苦悩にあえぐものの救済というテーマとなる。

(2)契約の思想。神とイスラエルの民は何度か契約を交わす。そしてその契約履行、とりわけ律法の履行こそが神と人をつなぐ決定的な結節点になる。契約は絶対なのである。ユダヤ教のもつ、「法＝神との約束」という思想、それゆえ人の支配ではなく、法の支配を上位に置く思想が生みだされる。

(3)奴隷であるもの、弱者であるもの、支配されていたもの、彼らが神に対する義と律法の遵守によって、最終的に救済されるという救済史観は、今日的にいえば一種の革命思想ともいえる。「神による救済」において「神」が沈黙するとき、「人による自己救済」という革命思想が登場してくる。

(4) 歴史はいずれ終末を迎えるという終末論的歴史観。キリスト教の千年王国は、終末の前なのか後なのかで解釈は分かれているようであるが、いずれにせよ、歴史の最終局面で世界の破滅という一種のカタストロフィーがやってくる。前千年王国説に従えば、千年王国の到来の前にキリストの再臨が行われ、千年を経た後に終末がくるという。後千年王国説に従えば、至福千年の後にキリストの再臨があって「最後の審判」が下される。いずれにせよ、真の信者は世界の破局のなかから救済される。

(5) 一種の選民思想。イスラエルの民は神によって選ばれたという思想が根底にある。すると、律法の遵守、正義の実行、道徳的な正しさ、悪との戦い、といった「正義」の実践こそ、人が神に近づく道だという思想がでてくるであろう。「人が神になる」という人間の思い上がりは強く神の戒めるところであった。しかし、人と人の関係において、神に対する義をなしているものの選民意識がでてきても不思議ではない。これはキリスト教においても同様である。世俗化していえば、正義を実行するもののエリート意識である。

確かに、ここには「神」がいる。それも、この世界の、また人類の、つまりありとあらゆるいっさいの創造者という絶対的な「神」がいる。その「神」は特にユダヤ人を選びだした。奴隷状態にあった苦難の民を救済する、という。

さらには、この苦難の民の救済は、預言者の登場によってキリスト教へと普遍化された。ユダヤの歴史であったはずの救済預言は、この世で抑圧され苦難にあえぐ世界の人々へと普遍化された。ここに救済預言は、歴史的なメシアニズムとなって、いわば普遍的な救済史観となってゆく。

もちろん、現代では「神」は姿を見せない。「死んだ」と宣言した人もいる。しかし、その「痕跡」は残っている。「神」なき時代にあっても、メシアニズム的な歴史観は生きている。そのことが私には気になるのである。

私は、旧約聖書的世界が、今日、われわれの目の前で再現されている、などといっているわけではない。今日のグローバル文明を論じるには、それなりの事実の検証や知見が必要であることはいうまでもない。今日、生じている様々な争いにしても、歴史的経緯、国益の対立、同盟関係などという具体的事情が作動していることはいうまでもない。

しかしそうであっても、「旧約聖書的世界観」が、とりわけ欧米思想の根底に流れているという印象を払拭(ふっしょく)できない。というよりも、私自身の関心は、今日のグローバル文明のあちこちにみられる亀裂を題材にしつつ、欧米思想の根底にあるものを探りだしたいのである。

第2章

「はじめの人間」と「おわりの人間」

第1節 ❖ グローバリズムの歴史意識

グローバル化が進んだ三つの時期

冷戦の一応の終結を1990年前後として、今日で約30年。しばしばこの時代を、本格的な意味で「グローバリズムの時代」と呼ぶ。

「グローバリズム」とは、カネ、人、モノ、情報の流れが地球規模での一体性をもつことをいう。とりわけ市場経済のグローバル化が決定的な意味をもったことはいうまでもなかろう。

歴史を振り返れば、経済活動や情報の地球規模での流動化が始まったのは別に20世紀末になってからではない。ヨーロッパでいえば、すでに15世紀末の地理上の発見あたりからグローバル化は進展していたし、それ以前にも中国の宋は、東南アジアの大洋に繰りだしており、15世紀の初頭には、明の永楽帝のもとで、鄭和（彼はムスリムである）の大遠征が行われ、インド洋を越えて中東にまで達していた。13世紀のモンゴル帝国はユーラシア大陸の東と西を結びつける巨大な交易路を作り上げていた。これはいわば「プロト・グローバリズム」とでもいうべき、グローバリズムの端緒（たんしょ）である。

しかし、今日につながるグローバリズムといったときには、どうしてもヨーロッパが中心となる。それには理由があって、ヨーロッパこそが、世界を駆けめぐることによって、富と権力をめぐる地球規模の世界史を大きく動かしたからである。

そこで世界史をざっと眺めてみれば、とりわけグローバル化が世界史のなかでも突出した現象となる三つの時期をみることができよう。

第一の波は、15世紀末の地理上の発見から18世紀にかけてのヨーロッパ諸国全体を巻き込んだ時期、つまり重商主義の時代である。巨大な球形の地球をぐるっとまわる新しい航路と航海術を駆使したヨーロッパの大国は、アジアや新大陸から多量の金銀や新奇なるゆえに高価な値のつく物産をもち込み、それを国家の富と権力の基盤にした。

重商主義の時代は、ヨーロッパにおける強力な国家形成の時代であり、また印刷技術の展開とともに一種の情報革命が起きた時代であり、そして近代的な啓蒙（けいもう）思想が準備される時代であった。

グローバリズムの第二の波は19世紀から20世紀にかけての植民地主義、帝国主義の時代である。ここでもまたヨーロッパ諸国は、カネ、人、モノ、情報を駆使して、アジアから中東、アフリカまでの世界の分割、支配を目論んだ。カネの動きを制するものが富と権力の構造を決める。金融が地政学的構図を決める。この構造をめぐる覇権争いが19世紀末の帝国主義であり、その帰結が20世紀の二つの大戦争であった。

そしてグローバリズムの第三の波が、20世紀末、冷戦の崩壊とともにやってくる。戦後世界を形作ってきた、米ソ二大勢力による東西・南北への世界の分断、そして国民国家の国境を前提とした経済、こうした「冷たく長い平和」はソ連の崩壊で終わる。

それにとってかわったのは、かなり意図的なボーダーレス化であった。再び、カネ、人、モノ、情報の移動はかつてない勢いで世界中を駆けめぐる。しかもその回転速度はますます増しつつあるというグローバリズム絶頂の時代がやってきた。そして現代のグローバリズムの時代もまた、過去2回と同様、世界市場をめぐる激しい国家間競争にさらされているのだ。ここでもまたカネの動きが地政学的構図を決めてゆく。

「人間の観念が歴史を動かす」という信念

では、われわれは、単に幾度となく繰り返されてきたグローバリズムの最新流行のさなかにいるだけなのであろうか。同じ舞台の第三幕に過ぎないのだろうか。少なくともヨーロッパによる地理上の発見以来、グローバリズムは常に進展し続けているのではないか。わざわざ三つの波などということもないではないか。もっと端的にいえば、「近代化」とはグローバル化そのものではないのか。こういうふうに考えたくもなるであろう。

それはその通りである。しかし、現代の第三の波は過去のものとは決定的に異なった特有の性格をもっている。それは何かといえば、現代のグローバリズムは、ある種の理想主義的な歴史意識によって作りだされ、また正当化されてきた、という点である。それは、人間の観念が歴史を動かすという独特の信念を胚胎（はいたい）しているのだ。

その意味で、「『近代化』とはグローバル化そのものではないのか」という問いかけは大きな意味をもっている。なぜなら、近代化とは、人間がよりよいものを、よりよい社会を作りだそうという意識的な運動だからである。そしてこの運動に方向を指示するのは、単なる物質的な生産様式ではなく、人間の観念だからである。胃袋ではなく、頭が歴史を作るのが近代なのである。

だから、「近代」とは、ただ産業革命によって経済成長が可能となり富が増殖したとか、交通機関や情報装置が発展して世界がつながったという現実生活の変質をいうだけではない。そうではなく、こうした世界の変質をひとつの観念や理念の統率のもとに置き、そこに歴史的な意味づけを与える運動なのである。

そもそも「近代（モダニティ）」とは、「モード」つまり最新流行の型という言葉と類縁関係にあるように、それは、常に「新しい型」を求める運動だった。20世紀初頭の「モダニズム」とは、それまでにはなかった「新しい型」の追求であった。

当然ながら、「新しい型」は古いものよりも進んでいる、と暗にみなされる。これは単なる現実の変化ではない。物質的なものの増産によって生活が便利になったというような胃袋的事情をいうのではない。それは、その変化を歓迎する脳内的事情なのである。それはひとつの圧倒的な価値観である。

かくて「近代」とは、「進歩」の観念に支えられ、また「進歩」を作りだす人間の革新的能力によって突き動かされる。前方へ前方へとわれわれをせかし、押しやるものは、変化の先にはよき世界が現れてくるという信念であり、その信念に根拠を与えるものは、ある種の歴史意識なのである。まだみぬ未来にはよいことがあるという歴史意識こそが近代主義のイデオロギーにほかならない。

そこでわれわれは次のように問いを立てることができよう。

「近代主義」のイデオロギーを生みだしたものはあくまで西欧であり、近代化は西欧を中心に駆動し、このイデオロギーをともないながら「近代」は周辺世界へと伝播(でんぱ)していった。グローバリズムの第三の波の独自性はそこにある。

過去2回のグローバリズムが、怖れを知らない冒険家や富に取りつかれた金満家や国家の特権をフルに利用した大実業家などの野望によって現実化したのに対して、第三の波は、そのグローバルな活動自体を正当化し、それを歴史の進歩とする独特の精神によって生みだされたのである。とすれば、その精神とは何だろうか。その歴史意識とは何か。そしてそれはグローバリズムを支え続けることができるのか。こういう問いがでてくるだろう。

過去2回のグローバリズムは、確かに一部に巨大な富をもたらしたが、世界的にも、そして国内においても、貧富の差を生み、戦争にまで発展する富の剝奪(はくだつ)戦をもたらした。富をえる機会が目の前にあれば、人は制御不能なまでに貪欲(どんよく)になる。では、今日のグローバリズムはどうであろうか。何に帰結するのだろうか。

それは今日のグローバリズムを支えている歴史意識によるであろう。すなわち歴史の向かう方向への指針であるが、果たして今日の歴史意識は受け入れられるものなのだろうか。われわれは、こういう問いの前に投げだされるであろう。

「胃袋が満たされればよい」という観念

さて、今日のグローバリズムを正当化する歴史意識とは何か。それは、前章で述べたように、「自由」や「富」や「人間の活動条件」の拡大こそが人を幸せにする、というあくなき欲望の全面肯定であり、しかもそれがいずれは実現可能だという強烈な信念である。

もう少し具体的にいえば、自由で平等な政治制度、つまり民主主義、公正で自由な市場競争、科学と技術の絶え間ない革新、それこそが人々の幸福を増進する、という信念である。端的にいってしまえば、「自由」と「富」である。この二つを可能にする制度を作ればいいのである。そうすれば、この制度や価値の世界化によって、世界中の人々が同じように幸福を享受できるであろう。その結果、自動的に世界平和も達成されるであろう。胃袋が満たされれば誰もけんかなどしなくなるという、さして高度とも思えないアイデアに、現代人の頭脳は少し高尚な論理を与えたわけである。

あまりに楽観的といえば楽観的に響くが、有り体にいってしまえば、このような楽観的信条こそが今日のグローバリズムの基底にある。いや、信念というほどのものでもあるまい。特別なことを何も考えずに、日々の快楽や愉楽をそのまま手にし、悲観的な未来を脳内の画面から消し去れば、ほぼ自動的に人は楽観的になれる。

しかし、そのことを気楽な受動的楽観ではなく、もっと現実の歴史に即して、しかも西欧思想の裏付けをともないながら壮大な積極的楽観として提示したのがフランシス・フクヤマの論文「歴史の終わり？」であった。

これはよく知られた論文であり、すでに批判も賛同も含めて現代の歴史思想のひとつの標準形といってよかろう。もっともこの論文が発表されたのは１９８９年で、特に冷戦後のグローバル・イデオロギーを意図したものではなかった。

フランシス・フクヤマ
（写真提供：共同通信社）

ここに示された歴史観はきわめて分かりやすい。世界史とは、人間が自由や平等の権利の獲得を目指してその敵対者と闘争し、やがて勝利する巨大な舞台だ、という。この簡明かつ端的で実に晴れやかな歴史観は、冷戦末期のこの時期にあっては、確かに未来を予見させるものであった。

彼はいう。自由や平等をめぐる人間の闘争は、ドイツやオーストリアの皇帝主義を打倒した第一次世界大戦と、ファシズムに勝利した第二次世界大戦をへて、いまや社会主義の名を語る全体主義との戦いの最終局面にある。この戦いに勝利の凱歌を揚げるのは時間の問題であり、そうなれば、もはや、社会主義を超えるような強力な思想もイデオロギーも出現しないだろう。フクヤマの面白い点は、胃袋事情をほとんど考慮の外にはずしてしまった点にある。「自由」と「富」のうち、「自由」こそが歴史を作るとみたのである。

いずれにせよ、自由と平等が実現すれば、大規模戦争はもはや生じないということだ。様々な小競り合いや紛争は残るとしても、いずれ、世界は、自由や平等、民主主義、人間の権利、公正な市場競争などを基軸価値とする安定的秩序へと向かうであろう。かくて、自由や平等の実現をめぐる闘争という壮大な歴史は大団円を迎えるだろう。ここで歴史は終わる。

これが彼の見通しであった。歴史についての相当に単純な見取り図である。にもかかわらず、これが世界的な評判をえたのは、ひとつは、論文の発表直後に現実にソ連の社会主義が崩壊したからであり、また、この論文の簡素な楽観論が冷戦後の時代の空気と合致したためである。さらにいえば、それは、冷戦に勝利したアメリカの意気揚々とした精神的高揚を代弁し、冷戦後のアメリカ主導の世界秩序を予言したからでもあった。

そして、92年に、フクヤマは、この論文をもとに『歴史の終わりと最後の人間』と題する書物を出版する。これもよく知られたもので、いまさら取り上げる必要があるのか、と読者はお思いかもしれない。

実際、この書物の表面を流れる主旋律だけを聴けば、89年の論文に示されたあまりにそっけないほどの楽観論の反復であるかに思える。そして、それゆえに、この本は冷戦後のグローバリズムを支えるイデオロギーの位置に鎮座し、フクヤマの「歴史の終わり」論といえば、しばしば、自由・民主主義のグローバリズム万歳をうたった能天気なまでの世俗的楽観論であるかのようにみなされもする。

むろん、フクヤマに対しては多くの批判が寄せられた。歴史のあまりの単純化である、また過度の楽観主義である等々。お決まりの批判はいくらでもある。しかし、この本は、見かけほど楽観的でもなければ単純な歴史観を説いたものでもない。私には、いまだに、この書物の基調をなしているきわめて重要なテーマが十分に論じられているとは思えないのである。

第2節 ❖ 歴史のはじまりに立つ「最初の人間」

ヘーゲル、コジェーヴ、そしてフクヤマへ

この書物が画期をなすのは、「歴史の終わり」の後に、「最後の人間」という言葉が付け加えられた点にある。では、彼は、なぜわざわざ「最後の人間」というフリードリヒ・ニーチェの用語を付け足したのか。

ニーチェは西欧の近代社会の果てに、人間はもはや人間ではなくなる、と述べた。いい方はどぎついが、要は、文明が高度化して自由も平等も豊かさも手に入れれば、人間はただただうまいものを食って満足し、穏やかで平和愛好的で従順な家畜のごとき存在になってしまう。いまや人間はその最後の段階にある、というのだ。目の前に御馳走(ごちそう)が並べば誰も戦争などしない。人間はまた胃袋的存在に逆戻りしてしまったのである。だがなぜ、フクヤマは、ニーチェを引用したのか。これはきわめて重要な論点である。

フクヤマ自身が認めているように、この書物はヘーゲルの歴史観を下敷きにしている。へ

ーゲルはいうまでもなく、啓蒙時代を代表するドイツ観念論哲学の雄である。古代ギリシャのポリスに強い憧憬（しょうけい）を抱き、キリスト教から強烈な影響を受けたヘーゲルは、最初の主著となった大部でかつ難解な『精神現象学』（1807年）において、キリスト教の神をはずしたうえで、人間の意識の運動が、きわめて高度な理性へと駆け上り、さらには最終的に「絶対精神」と呼ばれる完璧な状態にまで到達する、と考えた。神なしで、人間は神のごとき精神的存在に到達できるといったようなものである。

ゲオルク.W.F.ヘーゲル

しかも、ヘーゲルは、この意識の自己展開、理性の弁証法的な運動は、現実の歴史と対応しているとさえいう。それは単なる空論ではない。歴史とは理性的なものの展開なのである。かくて「現実的なものは理性的であり、理性的なものは現実的である」ということになる。

なぜそんなことがいえるのか。それは、人間が自らの理性的な能力を自覚し、それを他者と共有し、それによって現実を変えてゆくことができるからである。

こうして現実の歴史は、人間の理性の発展によって動かされ、それは最終的には「絶対知」と呼ばれる完全な精神の状態、つまり、全世界的なあらゆる物事の真理をわがものとするような精神の状態にまでいたる。「神」とはいわないが、人間の意識が最終的に「神的」なものにまで高まった状態である。こうして、単純なまどろみにある原初的な意識から始まった精神の運動は最終局面を迎え、歴史も終わる。ヘーゲルの歴史観はいわば啓蒙時代に現れた近代の黙示録のようなものである。

このようなヘーゲルのかなり難解で野心的な観念論哲学を、ロシア生まれでドイツをへてフランスに亡命した哲学者アレクサンドル・コジェーヴは、独自の解釈によってフランスに知らしめた。１９３３―39年にかけてのフランスでの講義を学生が筆記した『ヘーゲル読解入門』（１９４７年出版）はその成果である。

そして、フクヤマはコジェーヴによって解釈されたヘーゲルの歴史観から強い影響を受けた。フクヤマが自身の歴史観の基盤に据えたのは、ヘーゲルの『精神現象学』においては、「自己意識」の展開として論じられた、さほど長くもない、しかし印象的な部分である。

「承認欲求」がやがて「対等願望」に

少し単純化していえば、そこでは歴史の基本構造は次のように考えられている。

意識の発展のある段階で、人間は社会性の意識をもつ。つまり他者とともに生きる。では社会的存在としての人間のもつ自己意識はどのようなものであろうか。それは、自分自身を他者から認められたいという承認への欲求にこそある。承認欲求こそは人間の社会性の証（あかし）である。

これは考えてみれば、結構面白い説で、要するに、人が自分とは何かを気にする、つまり自意識をもつのは、人が他者と交わる、つまり「社会」のなかで生きるからである。そして、その場合、自意識は、他者の目で自己を見ることになる。他者が自分をどう見ているか、ということである。こうして、自己についての意識は他者との比較においてでてくる。この比較が、他者から認められたいという欲求を生みだす、というのである。つまり、人間が社会的動物である限り、人間の最初の、そしてもっとも根本的な欲求は、他者からの承認をめぐるものなのである。

ところが、この承認欲求、すなわち他人に認められたいという意識は、しばしば自分が他者より優（すぐ）れているという優越願望（メガロサミア）に転化するであろう。そうなると、ここに他者に対する優越をめぐる争いが起きる。

実際、たいてい、人々の争いも国の間の争いも、自己と他者の優越をめぐる争いから発するものだ。しかしその結果、人間社会は強者による弱者の支配の共同体になる。ここに主人と奴隷が出現する。

主人は自由である。自由のない奴隷は屈辱のなかにいる。ところが、考えてみれば、実は主人は奴隷の労働に寄生して生活しているではないか。奴隷がいなければ主人は生きることもできないのであろう。その事実を自覚したとき、ただただ目の前の快楽をむさぼっている主人よりも、奴隷のほうがより深く世界に関与していることになろう。

現実はともかく、自らの位置を自覚すれば、その意識の高さにおいて、奴隷のほうが、観念上は、主人よりいっそう自由になっている。こうして奴隷は自己の尊厳に目覚め、自らの承認を求めて立ち上がる。これは奴隷の革命であり、主人と奴隷の立場は逆転する。かくて人間の歴史は、支配をめぐる闘争の歴史となる。

しかし、それはいつまでも続かない。優越をめぐる果てしない争いのなかからやがてさらに高度な自己意識が生まれてくる。それは主人も奴隷も相互の立場を理解したうえで、お互いに主人であり同時に奴隷でもある対等な状態の相互承認である。すべての人間が対等に主人であり奴隷となる。優越願望（メガロサミア）は対等願望（アイソサミア）におきかえられる。それこそが近代の自由・民主主義の制度にほかならず、それを実現したのがフランス革命であった。

ヘーゲルは確かに若き日々にフランス革命に心酔し、『精神現象学』はナポレオンの登場に強い刺激と共感をもって書かれたともいわれるが、フランス革命が実現した自由・民主主義、それに人間の平等な権利という思想こそが、少なくとも、人間の理性が生みだした最高の観念的作品であった。コジェーヴは、ヘーゲルのナポレオン賛美から、ナポレオンに体現された精神こそが歴史を終わらせるという歴史観を引きだした。

コジェーヴやフクヤマは、ヘーゲルの観念的歴史論を経済的な物質過程の歴史におきかえたマルクスの歴史観を否定したわけである。社会主義も共産主義も、それ自体が空想的で理想主義的な観念に過ぎず、その現実は惨憺(さんたん)たる支配体制であった。フクヤマにとっては、ソ連の社会主義ではなく、フランス革命やアメリカ革命に示された近代市民社会こそが歴史の着地点なのである。

ヘーゲルは、『世界史の哲学講義』において、東洋においてはただ一人の人間が自由であり、ギリシャ・ローマにおいては少数の人間が自由であり、ゲルマンの近代社会においてはすべての人間が自由の意識をもつと述べたが、この自由の拡張こそ、近代の自由・民主主義が生みだしたものであった。これ以上の体制は存在しないであろう。

「テューモス(気概)」が歴史を作りだした

いわゆる典型的な近代主義、進歩主義とみなされるこの歴史の論理を理解するとき、われわれはその決定的な前提に改めて目を向けなければならない。それは、人間にとってもっとも重要な価値は「自由」だとみなされている、という点である。そこにこそ、西欧思想の源泉が古典ギリシャにあるとされる決定的な理由がある。

では自由とは何か。それは端的に他者の支配を受けないこと、自らの意思で自らの決定を行うことである。この確たる自己にこそ人間の尊厳がある。承認を得るのは、このような尊厳をもった人間であって、ギリシャでは、それは徳をもった市民であった。だから、ギリシャにおいては自由とは、決して抽象的で理想的な観念ではなく、きわめて具体的な現実のあり方なのである。つまり、自由とは市民の属性であり、その意味は、奴隷ではない、ということである。

福澤諭吉はヨーロッパの思想を学ぶなかで、自由とは一身独立の気風である、と理解した。ここには、自由とは、いかなる意味でも奴隷ではないというギリシャ市民に発する西欧思想の核心がある。奴隷に甘んじること、つまり何かに服従し従属することは、人間の尊厳を傷つけるに等しく、それゆえ奴隷は主人に対して革命を起こすのは当然である。この戦いに敗れ去って命を落としてもそれは名誉ある死であろう。

奴隷の身分に甘んじて生命を保障されるよりも、尊厳を求めて戦死するほうがよい。名誉とは命以上の価値を掲げ、そのために命を懸ける戦いである。生命を賭して戦う先に自由がある。それはまた生命を失うという死の意識を前提としたものであった。死の自覚こそが自己意識の極みなのである。

「生命を懸けることによってのみ自由は得られる」とヘーゲルは述べるが、それは、自分は死など恐れていないということを示すからである。もちろん死を恐れることは人間の自然な情念である。だからこそ、自分は自然の情念の奴隷ではなく、それを克服することで、人間は、自然を超え、情念を超えた存在であることを示すのだ。そこに人間としての尊厳がある。自然の情念に従うのは、ただ生きることだけを目的とする文字通りの奴隷の生であり、そこに自由はない。自分の命を積極的に危険にさらすこと、ここに動物ではなく、「人間」の歴史が始まる。

現代のわれわれからすると、これはなかなか強烈な思想であろう。死を覚悟した戦い、それは恐ろしく勇気のいることであるが、西欧の自由の観念には、もともと何かそのような高貴な命懸けの厳しさがあった。だからこそ、自由をめぐる闘争が歴史を作りだしてきた、というのである。そこにまた、西欧だけが歴史を主導してきたという強い自負もでてくる。

フクヤマは、この、至高の価値にすべてを賭けるような精神を、プラトンから借りて「テューモス（気概）」と呼んだ。実は、本当のところ、人間の「欲望」や「理性」ではなく、「テューモス」こそが歴史を作りだしてきたのである。それは、気高い自己犠牲、無私の精神、高貴な義務を遂行する勇気といった、精神の次元における貴族的価値を生みだす。

ところがフランス革命が切り開いた近代市民社会には、もはや主人も奴隷もない。とすれば自由をめぐる闘争もない。命を懸けてまでして戦う価値はもはや存在しない。ルールを守れば生存は確保される。では人間の尊厳という観念はどこへゆくのだろうか。歴史は本当に終わるのだろうか。もしそうだとすれば「テューモス」はただ歴史の彼方（かなた）に霧散してゆくのだろうか。

第3節 ❖ 「自由」の意味の大転換

ホッブズの国家契約論

ここで、西欧思想におけるもうひとつ別の系譜を思いだす必要がある。それは、キリスト教的人道主義や自然法思想のなかから出現する思想である。この思想系譜によると、何よりも大事なのは命である。生きること、それにまさるものはない。生命尊重こそ、人間のもっとも基本的な自然権である。アメリカの独立宣言にもあるように、生命尊重、自由、幸福の追求は「神」によって与えられた人間の基本的な権利なのだ。

この立場にたって、近代社会の論理をもっとも分かりやすく提示したのは、17世紀のイギリスの哲学者トマス・ホッブズであった。『リヴァイアサン』（1651年）に描かれた彼の国家契約の思想は、まさしく市民の生命を守るための理論を構成する仮想であった。

トマス・ホッブズ
（写真提供：ユニフォトプレス）

自然状態において人間は動物であるかのように相互に争い殺し合う。その野蛮状態に終止符を打つには、すべてのものが武器を捨て、それをただひとりの人間、もしくはひとつの機関に委ねる。これが主権者であり、すべての人間は主権者の前で平等に生命を保障され、社会秩序を破壊しない限りでの自由を認められる。主権者は、人々の生命財産を保護する責任がある。自由は、奴隷が主人となることによって獲得されるのではなく、人々が主権者の奴隷（従属する者）となることによって与えられるのである。

これがホッブズによる近代社会の原理であった。主権者が王であろうが議会であろうが、さしあたり問題ではない。市民の生命財産の安全こそが第一なのである。

ところが、ホッブズの論理が近代社会の正当性を解き明かしたものとみなされたとき、西欧思想の核心が大きく変質してしまった。それはこういうことである。

ホッブズは、この論理的仮想を自然状態から始める。自然状態では、人々はただ生きるために争うとみなされがちであるが、必ずしもそうではない。そこでは、人々はサバンナを駆けめぐる肉食獣のように、本能に任せて食べ物をめぐって殺し合うだけではない。人は動物ではない。

ホッブズは、人間のもつ根本的な性格として「力への意欲」をあげている。休むことなく次々とより大きな力を求めるのが人間である。それは、征服による名声をえたいという意欲、感覚的快楽への意欲、何かに卓越することで他人から称賛を受けたいという意欲、こういう「力への意欲」が人を動かしている。

そして、このような人間の性向こそが、自然状態を争いの場とする。ホッブズによると、「競争」「不信」「誇り」という3種類の人間の性向こそが「万人の万人に対する闘争」をもたらすのである。

とすれば、人は、ただ自己の生存をはかるためだけで殺し合うわけではない。ここには、殺されるかもしれないという恐怖があり、競争さえも恐怖を呼びさまし、他人への不信感をもたらすだろう。この恐怖や不信感に打ち勝ち、競争に勝つところに名誉や誇りもでてくるであろう。

自分が他人よりも優れていることを人々に承認されたとき、人は名誉欲を満足させる。虚栄心といってもよい。乞食のように他人の慈悲にあずかって生きながらえるのが人間の生ではない。生とは、人々との交わりのなかで活動することであり、競争に勝利し、虚栄心を満たすこと、それが人間の生を輝かせる。

動物とは違い、人間は胃袋に命じられて行動するわけではない。胃袋をめぐる他者との争いであっても、争いそのものがもたらす優越や虚栄などがそこにかかっているのである。自然状態とはいえ、弱い意味での社会なのである。それは「はじまりの社会」であり、そこにいるのは「はじまりの人間」であった。

そうであれば、不名誉とは、他者に対する優越性を顕示できなかったという屈辱にほかならないであろう。したがって、ホッブズにおいて、自然状態における死とは、ただ病気や事故や餓えによる自然死ではなく、生をめぐる他者との争いに敗れ去る不名誉をも意味しているであろう。他者に打ち負かされること、それは、ただ獲物を取り合う動物の争いとは違っている。死の意味も違っている。

見方によっては、虚栄心を徹底して打ち砕かれること、その屈辱を避けるために人々は争うともいえよう。食べ物を手にすることができないという事態も、ただ動物的意味での生存の問題ではなく、生存競争に敗れたという不名誉と屈辱をともなっている。いいかえれば、虚栄心こそが争いを生みだす。これがホッブズのいう自然状態の前提となっている。

このようにホッブズの自然状態を理解すれば、論理の発端には、ヘーゲルと同様、一種の「優越願望」を求める人間の姿が浮かびあがってくる。「最初の人間」はホッブズもヘーゲルもそれほど大差はない。そこには、優越性（力が強いこと）を認められるという虚栄心がある。そして、ホッブズの求めた解決は、契約によって主権者に絶対的な権力を与えることであり、争いを引き起こす虚栄心や名誉欲に決着をつけることであった。

それは、古代のギリシャやローマの市民が後生大事（ごしょうだいじ）にしていた戦士としての名誉などというものを捨てさせることであった。古代の徳という市民的伝統を放棄し、それを生命尊重や財産の尊重といった近代的権利へと変換すること。まさにここにホッブズの近代性がある。

戦いは永遠に続く

しかし、そのことは、西欧思想における「自由」の観念の大転換を意味していた。「自由」は、人間としての尊厳や独立を闘争のなかで勝ち取るという特別な精神的価値ではなく、万人がこの世に生まれついたときにすでに与えられているのである。それは、法によって保護された基本的権利のもとで、ささやかな私的利益や快楽を追求する自由となった。

アメリカ独立宣言で並置された「自由」と「幸福の追求」は基本的に同じことである。古代ギリシャやローマにあっては、奴隷であることの不名誉と、市民の自由は決して相いれなかった。幸福は自由でなければ追求しえない。しかし、ホッブズの論理のもとでは、市民はある意味で主権者の奴隷である。そこまでいわずとも、主権者に服従するものである。しかしこの服従の契約によって、市民的自由は認められるのである。

こうして、ヘーゲル流の承認を求める闘争、自由を求める闘争が近代市民社会の自由・民主主義と人間の権利に行き着いたとき、ヘーゲルの歴史観にかわってホッブズの論理が登場する（時代の順序は逆だが）。生存を確保する合理的論理が自由をえる闘争の歴史に勝利する。自由は、戦い勝ちとるものではなく、与えられ保護されるものとなる。こうして近代が動き出す。歴史は終わる。

われわれはこういう近代社会を生きている。主権者が設定した法を守れば、いくらでも自由は保障されており、平等な権利が掲げられている。そのなかにいる限り、安全であり平穏である。したがって、自由・平等、基本的な権利、法の支配といった価値（それを「リベラルな価値」と呼んでおこう）を実現すれば、世界は平和になる。

にもかかわらず現実に紛争や争いが絶えないとすれば、それは、人間の自由を抑圧する様々な権力や権威があり、いまだに平等が達成されていないからだ。独裁者はまだいるし、宗教的権威もあり、家父長的家族もあり、官僚は市民の自由を規制しようとしている。

また、陰に陽に差別は続く。少数派はまだ存在する。移民少数派への差別、相変わらずの人種差別、女性差別、いわゆるＬＧＢＴＱ差別がある。それらを根絶することが真の「歴史の終わり」なのである。いわゆるリベラル派はそのように述べる。

だが、それはおそらく永遠にやってこないだろう。なぜなら、これはフクヤマも書いていることだが、平等化が進めば進むほど人々はわずかな差異に敏感になり、不平等を正せと叫ぶ情熱は熱を帯びる。しかもその差別や差異は、階級や社会的なものというよりも、個人の主観に強く依存するものとなってゆく。

とすれば、この世界で抑圧されているもの、悲惨な目にあっているもの、広い意味で何らかの「奴隷」であると感じるものの反乱は永遠に続くであろう。かつては「奴隷」という言い方で呼ばれたものは、今日「被害者」と呼ばれている。そして、「被害者」とは、自らが何らかの被害者であると思っているもののことであり、彼らは反乱の権利をもつ。いや、かつては「反乱の権利」であったものは、今日では「保護される権利」とされる。

もちろん、真に苦しんでいるものがいることは間違いない。しかし、仮にそれらがほとんど制度的に問題とならないくらい被害者救済の社会的制度が整ったとしても、主観的な被害者意識がなくなることはない。こうして「被害者」が特権化されてくる。被害者の救済は民主政治の責任なのである。かくてまさに「民主主義革命」は永遠に続くことになる。

第4節 ❖ ニーチェの洞察とリベラルの崩壊

フクヤマのリベラリズムへの絶望

ところで、フクヤマは、２０２３年になって『リベラリズムへの不満』という書物を出版した。この書物のなかで、フクヤマは、自ら唱えてきた「自由・民主主義、人間の権利、法の支配」という「リベラルな価値」の現状を再考している。これはなかなか面白い書物である。

というのも、この書物のなかで、フクヤマは、自らを相変わらず「リベラリズム」の信奉者だと述べ、基本的態度は崩さないと述べている。にもかかわらず、実際には、彼は今日のリベラリズムを強く批判し、ほとんどリベラリズムに絶望しているかのようにみえるのだ。確かに、書名の通り「リベラリズムへの不満」がこの本を貫いている。

彼は、自らを「古い伝統的なリベラリスト」と規定してその立場を擁護（ようご）する。いや、そこへ回帰しようとさえする。しかし、今日のいわゆるリベラリズムが、たとえばポリティカル・コレクトネス（もともと、人種や宗教、性別などについて、偏見を含まず中立に立とうとする立場をさすが、実際には、差別的言説や権力的行動を、政治的、法的に「誤り」とする左翼リベラル派の主張をさす）のような主張に行き着いた様をみてみよう。そこには、あまりに過激な自己主張、異なった意見への不寛容、事態の性急な政治化という殺伐（さつばつ）たる光景が広がっている。

確かにこれはもはや、多様な意見と寛容を旨とする古いリベラルとは決定的に違っている。日系人でありながらも、健全なアメリカ的リベラルを信奉するフクヤマからすれば、たとえばトランプ現象に賛否の応酬をする左右両派の思想的様相そのものが、アメリカのよきリベラルの伝統からのただならぬ逸脱にみえるであろう。

だがここで、相互信頼と寛容にもとづく古いリベラルの復活を求めても仕方ない。なぜなら、今日の過剰なまでの政治的で不寛容なリベラリズムを生みだしたものは、まさしくフクヤマがかつて描いた「歴史の終わり」に実現される「リベラルな価値」だったからである。

新旧のリベラルを区別することはできない。フクヤマは、今日のリベラリズムとして、新自由主義とポストモダン等の哲学思想をあげているが、この両者ともに、「リベラルな価値」を母体にしているからである。

この矛盾は何も特別な考察を必要とするものではない。つまり、承認や尊厳を求める闘争、つまり「自由を求める闘争」というリベラルの思想は、やがては、自由に対するいっさいの障害を排除し、あらゆる抑圧や不合理からの解放を主張し、いかなる差別的取り扱いにも苦情を申し立てるという一種の狂気じみた自動運動に行き着くであろう。「抑圧からの解放」は永遠に続く。しかしこの解放の自動運動は、その車輪を回すのに、多大なエネルギーを必要とし、潤滑油が切れてくれば車輪はきしみ、社会的な支持を失ってゆく。

実際、70年代前後から、家族であれ、学校であれ、共同体であれ、企業等の集団であれ、社会慣習であれ、生活上の規律であれ、個人の自由に対する制約に対してはそれをたえず批判し続けるという徹底した批判主義がでてきた。それは、社会秩序を構成する既存の制度的枠組みを自由への抑圧として批判した。かくて批判主義はリベラルの鬼子（おにご）である。

確かに批判が有効な局面もあり、そういう時代もあったし、むしろ批判こそが建設的である状況もある。批判そのものが間違っているわけではない。

しかし、その前に、批判主義は決定的な欺瞞（ぎまん）を内包している。それは、批判主義は、その批判を、決して自らへは向けないということである。自由や平等や権利といった「リベラルの価値」そのものへ批判を向けることはない。批判とはいわずとも、懐疑の目を向けることもない。

批判主義は、常に「敵」を外部に求め、自らのあり方を問おうとはしない。こうして、それは、自らの批判のみを正義とみなし、批判に対する批判を受け付けなくなる。その結果、批判主義こそがリベラルを裏切ることになる。だがその理由は、もともとリベラリズムが胚胎した自家撞着（じかどうちゃく）にあった。内に潜む矛盾のゆえに、「リベラルな価値」がその内部から崩壊していくのである。

ミシェル・フーコー（写真提供：ullstein bild／時事通信フォト）

あらゆる言説は「権力への意思」を有す――フーコー

このことを示す典型例としてミシェル・フーコーほどの適材はいないであろう。フーコーは次のようにいう。

あらゆる言説は、決して中立的な事実を述べたり真理を述べたりするものではない。なぜなら、いかなる言語表現も、必ず他者に何かを伝え、一定の効果をもたらし、場合によれば社会的効果を生みだそうとするからだ。

その場合、いかに中立的で正当にみえるような言説であっても、その背後を覗けば、その表現者の利益や特殊な感情や、もっと端的にいえば「権力への意思」がある。自分を正当化したり、自己を引き立てようとしたり、他人を味方に引き入れたり、というわけである。無色透明な蒸留水のようなサラサラした言説はありえない。

こうして言説は必ず一定の「権力作用」をもたらす。それは、科学的真理といった場合にも当てはまる。「真理」という言葉に騙されてはならない。ある言説を真理だといったとき、それに対する反論を寄せ付けないのであり、そこに真理の絶対化が生じ、その真理を述べたものの権威化が生じているのである。「真理」につくことによる自己特権化である。「科学」にせよ「真理」にせよ、無垢な客観性を装っているだけで、それは実は、ある意図を秘めた「権力」を隠しもっているのだ。

今日、「真理」はしばしば「事実」や「エビデンス」として表現される。たとえば政策の評価基準としてしばしばいわれるエビデンス主義においても、「事実が大事だ」「エビデンスが大事だ」という。だが、このいかにも中立的で客観的で科学的な言辞さえも、考えてみれば、「科学中心主義」のイデオロギーを隠しもっている。エビデンスを操り、それを握ったものの優位を隠している。これこそが「エビデンス」だといえば、誰もが容易には反論できない。これは「権力作用」にほかならないのである。

「リベラルな価値」も一見しごくもっともにみえる。抑圧からの解放、偏見からの解放、人権の尊重、こうしたリベラルな価値を正面切って批判するのは難しい。リベラリズムは、人間の条件である性や能力や家庭の境遇や国など、生まれの偶然的属性を取り去ってしまえば、根本的にはあらゆる人は平等・対等であり、何ものにも従属しないという意味で自由だという。だから、様々な意匠も衣装も取り払って丸裸にすれば人間はまったく同じだという。

この根源状態を想定すれば、自由と平等は、普遍的な人間の本質であり、その実現は、道徳的正しさをもつという。それは科学法則のような真理ではないにしても、カントが述べたような普遍的な道徳的真理なのである。

フランス革命はルサンチマンの産物――ニーチェ

しかし、フーコーの権力論をここに当てはめれば、「リベラルな価値」も一種の権力作用にほかならない。これもまた実に巧妙に隠された「権力」なのではないのか。自由や平等を永遠に求める運動は、永遠に続く権力作用だということになろう。そして実際、そのことを、おそらく本人もそうとは気づかずに実に的確に述べた人がいた。先ほど述べた「民主主義は永遠の革命である」というのがそれである。革命とは、支配構造を転覆して権力を奪取するという権力作用だからである。

そして、自由、平等、博愛といったフランス革命の精神こそが隠された「権力への意思」だとみたのはニーチェであった。近代社会の平等思想こそ、奴隷革命の産物であり、支配者から支配権を奪い取るという「権力への意思」がそこにある、という。それこそは弱者のルサンチマンの産物だとニーチェは述べた。

抑圧され、支配されてきたと感じるものたちの、強者や支配者や時には金持ちへ向けたどうにもならない反感、しかも、ある劣等感と嫉妬と屈辱感がないまぜになった反感が鬱積(うっせき)してゆく。この負の感情がルサンチマンとなり、自らが支配者になりたいという欲望をたきつけ、近代革命を起こした。批判主義もこの近代革命の延長線上にある。それゆえ、「リベラルな価値」も弱者による「権力への意思」にほかならない。

この何ともやりきれない独創的な思想を、ニーチェは、自身のキリスト教へのいらだちによって手に入れた。そして、近代の「リベラルな価値」とは所詮(しょせん)、キリスト教道徳の変形であり、その背後にはキリスト教が隠されていると、ニーチェはいう。キリスト教道徳こそは、神という絶対の「主人」に服従する「奴隷」としての人間が自己満足的に生みだした「奴隷道徳」だというのである。

フーコーはニーチェの「権力への意思」の思想を現代において反復したに過ぎない。だが、もしニーチェやフーコーがいうように、自由や平等が、奴隷として支配されてきた弱者のルサンチマンをいいかえただけであれば、歴史に意味はなくなる。

理由は簡単だ。強者による弱者の支配も、「リベラルな価値」の正当性を掲げた弱者による強者の支配も、どちらも単なる「権力作用」に過ぎないからだ。ひとつの権力が別の権力におきかわっただけである。自由な民主主義の勝利とは、主人も奴隷もなくなり万人が対等となった社会などではなく、ただ、奴隷の無条件の勝利を意味している、というのがニーチェの言い分であった。

近代社会とわれわれが呼んでいるものは、決して人間の根源的な自由や平等という理想の実現などではない。歴史の向かう確かな方向などどこにもない。歴史の進歩もありえない。それがなければ、歴史の完成、つまりフクヤマのいう「歴史の終わり」など何の意味ももたないであろう。

われわれが歴史にみるのは、ただただ「権力への意思」の様々な発現の姿であり、そんなものに「終わり」はない。あるのは、延々と続く、「権力への意思」の多様な現れなのである。確かに、ニーチェはキリスト教のもつ「終末論」を破壊した。そしてそのキリスト教を背景にもつ近代社会のリベラリズム的な「終末論」も破壊したのである。「終末」などやってこない。同じことが永遠に繰り返されるだけなのである。

ユダヤ教の「他民族への優越」が受け継がれた

かなり極端な議論をしていると読者はお思いかもしれない。しかし、これは「リベラルな価値」を考えるうえできわめて重要な事態である。確かにニーチェの思想は相当に極端なものかもしれない。ニーチェの生きた時代から1世紀以上が経過した今日のわれわれでも戸惑いを覚える。キリスト教や近代社会に弱者のルサンチマンや権力への意思をみるニーチェ自身がルサンチマンの塊(かたまり)であり、えらく屈折した権力への意思の持ち主だったのではないか、といいたくもなる。おそらくそれは事実であろう。

しかし、だからこそ、ニーチェは自らの内にあるキリスト教的なものを必死で抉(えぐ)り出したのではなかろうか。そして、そう思うと、この倒錯した心理はわれわれの内にもとぐろを巻いているのではなかろうか。だからこそ、彼がある真理をついているという感覚から逃れることは難しいのではなかろうか。確かに倒錯的とはいえ、それは何も特別な洞察でも奇妙な思い付きでもない。きわめて単純な論理的結論である。

というのも、ヘーゲルが古代ギリシャのポリスを参照したように、もしも、人間がポリスの自由民である市民に高い誇りをもち、アリストテレスが述べたように、ポリスの公共の事業に参与して何らかの卓越性を発揮し、勇敢な戦士としてポリスのために戦い、こうした「テューモス（気概）」のゆえに賞賛を得ることに名誉を感じ、また自尊心を満足させるような存在だとすれば、それをすべて抑制した近代の自由・民主主義において、公共的な賞賛や名誉や気概の行きどころがなくなるからである。

みなが同じ檻（おり）のなかでささやかに自由であり、みながちょぼちょぼの同じような人間だとするなら、いったい「テューモス」などというものはどこへいくのか、ということなのである。

ニーチェが述べたのは、他人に対する優越願望は、人間のもっとも根源的な存在性に根差しているということであった。それは「最初の人間」なのである。獲物をめぐって争う動物から「人間」を区別するものは、命を賭して何かをなすという尊厳を示すことで、他者に認められるということであった。

ヘーゲルは「歴史の始まり」にこの「最初の人間」を置いた。ホッブズは一見したところ、動物から人間を区別するものは、生命の尊重である、とみているようにも思える。しかし、自然状態における人間の根底においては、優越願望や虚栄心があり、人はそれによって突き動かされている。ホッブズもそれを「最初の人間」だとしたのである。

この「最初の人間」の願望は容易に消え去るものではない。それゆえ、近代社会の自由・民主主義のなかにこの欲望は裏返された形でそっともち込まれた。いやその前に、それはキリスト教のなかにしっかりともち込まれていた。『旧約聖書』に描かれた絶対的な唯一神によって「選ばれた」民族というユダヤ人の根底には、神への絶対的な服従と他民族への強烈な優越願望がある。

それは、人類全体を対象とした愛と救済を説くキリスト教にも受け継がれている。イエス・キリストへの無条件の信仰はまた、神への服従と、選ばれたものの救済という複雑な心理の産物であろう。そして、その原点には、エジプトにおいて奴隷の地位に置かれていたユダヤ人の苦悩があり、世界中に散らばった、抑圧され、屈辱にさいなまれる人々の苦悩があった。キリスト教の普遍主義は、世界中の苦しむものは救済されるべきだという。だが、恐るべきことに、ニーチェは、この「絶望」からの「救済」を求める苦悩者の心理の内にさえ、逆さまになった「権力への意思」をみたのである。

なぜなら、「権力への意思」こそが、あらゆる人間の根本的性格だからである。それを「最初の人間」といってもよいが、人間を動物から区別する、人より優位に立ちたいという優越願望は、たえず、自分よりも得をしているもの、よい地位を占めているもの、権力をもっているものに対して、劣等感と嫉妬をともなったルサンチマンを向ける。自由、平等、博愛や人間の権利、法の遵守などがルサンチマンに正当性を与え、その口実となる。

もともと「テューモス（気概）」は、賢慮(けんりょ)や節制や正義の感覚と結びついて、ポリスの公共の事業への積極的で献身的な参与を意味していた。あるいは、哲学者にとっては、ソクラテスのように、いかなる政治的また社会的な圧迫にも屈することのない真理への情熱を意味したであろう。芸術家であれば、イデアを写し取ったかのような完全な塑像(そぞう)の制作に賭ける高貴な精神を意味したであろう。

そういう、本来の「テューモス」や「尊厳」や、よい意味での「名誉」の感覚を、近代社会のリベラルな価値は、徹底して引き下げ、ささやかな個人的な趣味や利得に変換し、世俗的なせせこましい競争のなかに投げ込んでしまった。

決して、「優越願望」は姿を消したわけではない。消え去ることもできない。ただそれは、カネや儲けをめぐる経済競争、富をめぐる国家間の競争、些細な出世をめぐる嫉妬や虚栄、わずかな利得や快楽、等々。こういう粗末な、どうみてもあまり品位の高くない競争に変形されてしまったのである。

ニーチェが述べたように、自由と平等が正当性をもつ近代社会になれば、人はおとなしく「家畜」におさまればまだしも、決して人は家畜にはなれない。良かれ悪しかれ、人には自意識と自尊心がある。奴隷であることには耐えられない。しかし、近代社会にあっては、奴隷革命を起こそうにも、その相手である主人がいないのである。革命の起こしようがない。

だから、批判主義者であり、60年代の新左翼の理論家であったヘルベルト・マルクーゼは、『純粋寛容批判』において、すべての人間を同じに扱う自由・平等の根底にある「寛容」を徹底的に攻撃した。寛容（彼のいう抑圧的寛容）は、事実上の差別を容認する道具になるからだと彼はいう。批判は、近代社会そのものへも向けられるべきであり、革命の暴力は近代社会そのものへ向かう。

しかし、近代社会そのものへの攻撃とは何であろうか。社会主義や共産主義が自由・民主主義の近代社会を乗り越えるなどという幻想をわれわれはもはや抱くことはできない。それは60年代においてもそうであった。

理由は簡単である。共産主義は、フクヤマ（あるいはプラトン）の言葉を借りれば、せいぜい、理想化された「理性」によって、人間の「欲望」も「気概」も管理できると仮定したからである。確かに、それはもうひとつの「歴史の終わり」であろう。だがその「終わり」は、人間の「欲望」も「気概」も抑えつけた壮大な抑圧体制でしかないだろう。それは現に歴史の証明するところであった。

アメリカ型の近代的な自由・民主主義体制においても、ソ連の社会主義体制においても、確かに主人も奴隷もいない。そこでは、主人といえば、あらゆる人が主人である。奴隷といえば奴隷である。攻撃の的（まと）となるものはない。こうして、人々は、お互いを相手にしながら、些細なことをめぐって、陰湿に、不毛に、執拗に批判し合い、苦しめ合う。みなが奴隷であり主人であるような社会では、窮屈な鹿苑（ろくえん）に放り込まれた鹿か何かのように、お互いに角を突き合わせる。苦しみはやがてわが身に跳ね返ってくる。

リベラルな価値は、もともと苦悩するもの、抑圧されているものの支配からの解放を求めるものであった。それは確かに、歴史的な意味をもっていた。

しかし、この権力批判、現状変革主義、既存の権威破壊を目指す批判主義が、一定の成果をあげたあげくに、さらにそれ自体の批判主義を加速させ、批判そのものが近代社会の中心に上りつめると、リベラルな批判主義は、批判の応酬となる。批判したものが次には批判される。

それが延々と続く。リベラリズムはどんどん些末な領域へと追いつめられ、自己中毒的に瓦解(がかい)してゆくであろう。この隘路(あいろ)からの脱出が、もしあるとすれば、自分こそは強者であると宣言して権力をむき出しのままに肯定する人物を到来させることであろう。誰と特定することはできないにせよ、すでにグローバリズムの果てに、われわれはそういう社会に入りつつあるのではなかろうか。

第3章

文明の四層構造

第1節 ❖ 冷戦後の世界秩序の崩壊

ようやく新型コロナウイルス感染症が収束へ向かいかけていた2022年の2月24日、ロシア軍が突然ウクライナに侵攻した。確かにプーチン大統領による暴挙というほかない。プーチンによるウクライナへの侵略として非難されるのは当然である。

しかし同時に欧米では、この事態を「プーチンによる、国際秩序とそれを成り立たせている価値観に対する挑戦である」として「独裁者プーチン」への批判が沸き起こった。「西側諸国は自由・民主主義や法の支配、公正な市場競争などの普遍的価値を守るために一致団結しなければならない」――わが国を含む西側諸国では大方こうした議論が繰り広げられてきた。

確かにロシアの今回の行動は国際法違反であるとともに、人道に鑑（かんが）みても暴挙であり、プーチンが戦争犯罪責任を問われるのは当然であろう。

それはそれとして、気になるのは、「自由・民主主義、法の支配、公正な市場競争などの普遍的価値を守る」という西側のいい方である。

もともと、ロシア・ウクライナ戦争は一種の領土争いである。そこには長い歴史的経緯があった。帝政ロシアの時代からの確執に始まり、ソ連に編入された社会主義時代のウクライナの苦渋があり、２０１４年のロシアによるクリミア併合もある。どちらもスラブ系民族とはいえ、歴史のなかでそれぞれ独特の民族意識が形成されてきた。その結果、ウクライナ東部地域にはロシア系住民が多く、彼らはウクライナ人による圧迫を経験してもきた。欧州とロシアにはさまれたウクライナにも親西欧派とロシア派の対立があった。

われわれ日本人には容易に理解しがたい、こうした歴史的背景のもとで、ロシア・ウクライナ戦争は始まった。当初は、誰もがやっかいな領土紛争だと考えた。ところが、ゼレンスキー・ウクライナ大統領による国際世論への強い訴えかけ、支援を求める欧米への直訴、それに、病院や学校、公共施設、文化施設や市民へ向けたロシアの無慈悲な攻撃など、悲惨な非人道的映像がメディアを通して世界へ流された。

その結果、欧米、とりわけアメリカは、これを単なるロシア・ウクライナの領土戦争ではなく、ロシアによる「世界秩序」への挑戦だといい、それはまた、ロシアという「権威主義体制」による世界の「自由・民主主義体制」へ向けた攻撃である、という。そうなると、これは「新たな冷戦」ともいうべき「体制間の戦争」であり、「価値観をめぐる戦争」だということになる。端的にいえば、独裁政権が自由・民主主義の世界秩序を破壊しようとしている、というわけだ。

その面がないわけではない。現に、親ロシア国家は、中国にせよ、北朝鮮にせよ、独裁的である。日本からすると、中国も北朝鮮も脅威である。したがって、ロシア・ウクライナ戦争に端を発する「新冷戦」の世界は、「独裁的権威主義体制」と「自由・民主主義体制」の対立とみることもできるし、この理解が間違っているともいえない。

しかし、世界はかくある、という客観的で一義的な現実が存在するわけではない。世界の見方はわれわれの観念によっても作りだされる。「独裁国家と自由・民主主義国家の対立」として世界を理解するのはあくまでひとつの見方である。

そのように世界を理解すれば、確かにこの構図が現実世界のように思えてくるし、そのような見方がまた現実を作りだしてもゆく。特に現代社会では、われわれが世界についてもつイメージや、それを解釈する観念が、実際に世界の現実を作りだしもするのである。

戦後の冷戦にしても、アメリカでは、共産主義は恐るべき悪の権化であるかのように語られ、それは「人間の生き方として間違っている」とまでいわれた。一方、ソ連では、アメリカ文化は道徳的退廃の極みであるかのごとく理解された。このような観念が冷戦を、単なる二大大国の覇権争いにとどまらない激しいものにしたことは事実であろう。

今日のグローバリズムにしても同様である。国境を越えたモノや人々の自由な移動が文明の進歩であり、平和への前進であるという観念もしくはイデオロギーが、現実にグローバリズムを進展させたことも疑いなかろう。イギリスの経済学者ケインズが述べたように、長期的には人間の観念が世界を動かすのである。

善悪二元論という価値観

だが、この場合、「新冷戦」という図式は、ただ現実の理解である以上に、強固な価値観を含みもっている。それは一種の道徳的な価値観である。「独裁国家と自由・民主主義国家の対立」という理解は、明らかに、独裁政権を悪とみなし、自由・民主主義を正義とみているからだ。

つまり、善悪二元論である。当然ながら、悪は滅ぼされなければならない。自由・民主主義の側に立つ者は正義の戦争を遂行しているのだ。対立は二つの異なった立場の衝突でもなく、相対的な二つの価値観の衝突というようなものでもなく、「正義」と「悪」との衝突なのである。だから、この図式を受け入れたとたん、われわれは、「正義」につくか「悪」につくか、二者択一を迫られることになる。

こういう理解が西側の論理に寄りかかったものであることはいうまでもなかろう。ロシアからすれば異なった論理があるだろう。「自由・民主主義、法の支配、人権主義、公正な市場競争の普遍性」という価値観そのものを、少なくとも無条件で受け入れはしないであろう。

実際には、プーチンによって攻撃されているはずの「国際社会」に含まれる多くの新興国は、決して西側の価値観に賛同してはいない。多くの国は、表立ってロシアを支持しないとしても、かといって西側に賛同しているわけでもない。

ここにはそれぞれの国の国益の拠ってたつ事情があるのは当然であろうが、私には、この価値観のほうが気になる。「自由・民主主義、法の支配、人権主義、公正な市場競争の普遍性」などを総称して本書では「リベラルな価値」と呼んでいるが、何といっても、これは、ヨーロッパ啓蒙主義に端を発し、市民革命や産業革命などをへて20世紀のアメリカに受け継がれ、戦後アメリカの世界的な覇権とともに地球上のあらゆる場所へと拡散した。いや、拡散されるべきだとみなされた。アメリカはそれを「普遍的価値」と称したのである。

今日、われわれ日本人は、ほとんどそのことを疑わない。リベラルな価値こそが近代社会を構成している、と信じている。その意味で、「リベラルな価値」はまた「近代主義」といってもよい。そして、「近代化」があらゆる人間の幸福を約束するというのなら、この価値観の普遍性を疑うことなどできないだろう。われわれはそう考えている。だが本当にそうだろうか。

戦前の日本と現在のロシアの共通点

そのことを論じる前に、少し気になることを一言述べておきたい。それは次のような歴史的事情だ。

欧米はロシアを侵略国家だと非難し、日本も欧米に同調しているが、遡ること約90年前の１９３０年代、日本は中国大陸に進攻した。そして日本は「侵略国家」として非難された。また、それに続いて真珠湾攻撃によって対米戦争の端緒を開いたが、このときにも、これは日本の仕掛けた「侵略戦争」だとされた。ポツダム宣言には、この戦争は、日本の軍国主義者による世界征服を意図したものだ、とある。日本は世界の人々の自由を破壊しようとした、という。

ポツダム宣言は、連合国、とりわけアメリカの意向に従った文書であり、ここにはアメリカの歴史観、戦争観が反映していることはいうまでもない。

あの戦争を「日本の軍国主義者による世界征服を意図した戦争」などといわれると、とても首肯しがたいであろう。そもそもそんな大それたことなどできるわけもない。しかし、世界征服を企んだ日本の「国際秩序」への挑戦を、自由の守護者であるアメリカが成敗したというのがアメリカの歴史観であり、戦後日本の「立ち上げ」は、このような歴史観を受け入れることで初めて可能となった。敗戦国の屈辱である。

そしてそれは戦後の日本のいわば「公式的立場」となった。日本の国際社会への復帰は、わが国の引き起こした侵略戦争の全面的な反省をともなうものであり、自由・民主主義、人権尊重などのリベラル的価値の受容と軍事力の放棄をうたった平和憲法を条件としている。

しかしまた、東京裁判で示された、日本を侵略国家として、政治的にも道義的にも断罪する歴史観が「勝者の裁き」の傾きをもち、「あの戦争」の意味づけがあまりに連合国の一方的な歴史観の押し付けではないか、こういう疑念を今日でも払拭できない。これもまた事実である。

日本は、世界の平和を愛好する諸国の征服を企み、自由・民主主義を奉じる世界秩序の破壊を意図した侵略国家であるといわれれば、とても全面的に賛同はできないのは当然であろう。大東亜戦争と呼ばれたあの戦争は、日本にとっては、もっと複雑で多様な側面をもった戦争であった。

いうまでもなく、当時の日本にはいくつもの過ちがあったし、無謀な戦争であった。また、決してそれをアジアの解放戦争であったなどと弁明することはできないであろう。しかしまた「国際秩序に挑戦した」と指弾されれば、全面的には納得しがたい。

すでに1918年には近衛文麿が「英米本位の平和主義を排す」と題する論文を発表していたが、それに賛同するかどうかは別としても、戦争前夜の日本では、英米の「国際社会」なるものが、その実態をいえば、欧米列強によるアジアやアフリカの植民地支配にほかならないという意識は沸騰していた。

それは決して「リベラルな平和愛好的な世界秩序」どころではないではないか。「英米本位の平和主義」とは「英米覇権による世界の平定」ではないのか。この「英米本位の平和」なるものの欺瞞に対する不満が、広く国民の間にも渦巻いていたのである。

もちろん、あの時代状況と今日を同一に論じることはできない。当時の日本と今日のロシアを同列に見立てることもできないし、世界中が経済、情報等で緊密に結びついた今日のグローバル世界と20世紀初頭を並置することもできない。

しかし、問題は状況論ではなく、歴史観である。英米、とりわけアメリカは、ある意味で一貫した歴史観をもっている。「リベラルな価値による平和的な世界秩序」への挑戦者は懲罰を受けるべきだとする歴史観である。

「世界秩序」への挑戦者は、他国への侵略者というよりも前に、「世界秩序」への侵略者なのである。この侵略に対するアメリカによる（あるいは多国籍軍による）戦闘や支援はあくまで正義の戦争であり、道義的に正しい戦争なのだ。ここにあるのは、現実の戦争からハリウッド映画にいたるまでアメリカ人の思考法の基本形というべき、あの「正義」と「悪」の抗争という歴史理解である。

こういう歴史観がアメリカの世界への介入を支えている。確かに、戦後日本の国際社会への復帰は、このアメリカ流の歴史観の受容によって可能となり、そのもとに日米安保体制が築かれた。

しかし、これももっと有り体にいえば、戦後に始まった米ソ冷戦のもとで、日本はアメリカ中心の西側に編入されることによってようやく主権を回復したわけである。そしてこの冷戦もまた、アメリカからすれば「正義」と「悪」の戦いであった。

冷戦で、西側陣営についたことは、結果的に日本にとって「利」のあることだったというべきであろう。まさか非武装中立などというわけにはいかない。日米安保体制もやむをえないものであった。しかし、問うべきことは、そのときに、日本は、ただ日米の軍事的・防衛的同盟というだけではなく、アメリカの価値観と歴史観をも受容することになったということだ。ポツダム宣言は、軍事国家の降伏勧告だけではなく、日本という文化国家の価値観の変更をも勧告するものであった。

アメリカの歴史観の受容は、戦後日本のいわば「公式的立場」である。そうしなければ、日本の国際社会への復帰はまったく違った形になったであろうし、また、そうでなければ「戦後日本の平和と繁栄」もなかったかもしれない。

そのことを認めたうえで、しかし、繰り返すが、このアメリカ流の歴史観をわれわれは本当に心の底から受け入れているのだろうか。こう疑ってみることはできる。また、本当にそれで納得できるのか、と自問することもできる。

いや、今日、改めてアメリカ流の歴史観にもとづく「世界秩序」はうまく機能しているのか、と問いただすことは必要な作業である。ところが、現状は、思想党派を超えてほぼあらゆる人々が「独裁者プーチンによる国際秩序の破壊」を非難している。その空気にはいささかの違和感を禁じえないのである。

いずれにせよ、ここで改めて問うてみたいのは、「リベラルな普遍的価値」を唱えるアメリカ流の世界秩序観であり、その歴史観だ。かつての日本の侵略的行動を難じることもできるし、今日のプーチンの侵略戦争を批判することもできるが、その前に、ここでは、グローバリズムと呼ばれる今日の「西側」中心の世界秩序をまずは問題としたい。

アメリカの経済覇権戦略

今回のロシアの仕掛けた戦争の根本的な原因を考えるならば、まずは、冷戦以降の世界の秩序編成の失敗に目を向ける必要があるだろう。冷戦が終わって約30年、果たして冷戦後の世界はうまくいっているのだろうか。

少し振り返っておこう。冷戦とは、米ソ二大大国による覇権争いだが、そこには二つの面があった。ひとつは、いずれの国がより多くの富を生みだすかという経済競争であり、もうひとつは、自由・民主主義・市場競争の価値と社会主義・計画経済というイデオロギー間の争いである。「富」と「思想」である。冷戦の終結は、さしあたりは、アメリカを中心とする西側の「富」の勝利であり、また、それを支えた西側の「思想」の勝利であった。

それゆえ、冷戦後世界が、まずは、アメリカ型の市場経済の世界化と、アメリカのリベラルなイデオロギーの世界化へと向かったのは当然であった。それが冷戦後のグローバリズムである。端的にいえば、グローバリズムとは、「市場競争を軸にする経済成長」と「自由・

民主主義のリベラルな価値の普遍性」を二本柱とする世界秩序である。

といっても冷戦以降のアメリカの覇権がそれほど順調に形成されたわけではない。冷戦に勝利したとはいえ、80年代から90年代にかけてのアメリカ経済は決して順調なものではなかった。80年代には日本やドイツに追い上げられ、アメリカの心臓というべき製造業は生産性の低迷にあえいでいた。自動車産業などかつての栄光はもはや見る影もなかった。

しかし、その後のアメリカの戦略的対応は著しいものである。90年代のビル・クリントン政権は、アメリカ経済の軸を製造業から金融・情報産業へと切り替えたが、それは、世界中に拡張される巨大なグローバル市場を取り込むという意図をもったものであった。

冷戦の終結以降の約30年間、グローバリズムの進展により世界中が資本主義化し、巨大なマーケットが生まれた。あらゆる国に経済的利益の機会がいっきに開かれたが、特にアメリカはITイノベーションと金融経済を結びつけることで経済的覇権を握ったわけである。

ワシントン（政治）とウォール街（金融）とシリコンバレー（IT）が一体となり、しかも、いわゆるワシントン・コンセンサスという新たな市場中心的政策を世界へと拡散していった。通常、これは新自由主義と呼ばれるが、実際に生じたことは、新自由主義者好みの市場の「自生的秩序形成」どころではない。「自生的秩序」を市場経済の本質とみなしたフリードリヒ・ハイエクが聞けば仰天するような事態である。新自由主義とは実は、グローバル世界でのアメリカの経済的覇権を目指した国家的な戦略であった。

金融・情報へのシフトは経済構造の大転換である。70年代後半の先進国では、製造業を中心とした大量生産・大量消費によって大衆消費者の生活の向上をはかるという、従来の工業経済の思想はすでに後景に退いていた。アメリカの社会学者ダニエル・ベルが述べたように、先進国は脱工業社会へ移行しつつあった。

脱工業社会では、巨額の利益を生むのは情報・知識・通信、それに金融であり、また様々な専門家の技能である。そこで取引されるのは実体をもった財貨ではなく、記号（シンボル）だ。大量生産型の製造業から、人間の専門的知識やコンピューターを使った情報操作が利益の源泉になる。「実の経済」から「虚の経済」への転換であった。かくて製造業を支える巨大な機械装置や大企業組織にかわって、情報・知識・マネーなどの記号を伝達し管理するデジタル・プラットフォームが、新しいインフラストラクチャーとなった。90年代のＩＴ革命は決定的な意味をもっていた。

これは市場構造の決定的な転換である。では何が変わったのか。

モノづくりの製造業にあっては、生産拡大につれて生産活動にかかる追加的コストはいずれ上昇するので、どこかで生産に歯止めがかかる。その結果、ある状態で市場は一定の均衡へ向かう。

しかしITや金融取引の世界では、人件費も土地代も生産設備もさほどいらない。市場の拡大につれ、追加的な限界コストはますます低下する。「限界費用逓減（ていげん）」が作用するのである。

その結果、マーケットを拡大すればするほど利益も指数関数的に上がり、「一人勝ち」になる。ここに途方もないマネーが動くことになる。いわゆるGAFAM問題の登場である。

これらの一部のデジタル・プラットフォーム企業は、もはや国境に縛られた政府の力をものともせず、経済力においても、情報管理力においても、世界を支配しかねないのである。

また同時に、金融自由化とともに、企業経営は短期的利益を目指す株主中心的なものとなり、企業そのものが金融市場で企業価値を評価され、場合によっては売買の対象となる。かくて多くの企業は消費者のための長期的投資よりも、金融市場で短期的利益をめざす即席のコスト削減やあるいはM&A（合併・買収）に走るようになる。

「もっとも経済的に成功したのは共産主義国家」という皮肉

それでグローバリズムは人々の富を増やし幸福にしたのだろうか。とてもそうはいえない。

金融資本が肥大化の一途を辿り、世界のマーケットを動かすグローバリズムのもとでは、何が起きるのか。それは現在の世界をみれば一目瞭然である。

まず、従来型の製造業を中心とする労働者階層と、グローバルな金融・情報テクノロジーに従事する新興階層との間に恐るべき所得格差が生じた。グローバル市場で活用できる専門的知識や技能をもつものと、エッセンシャル・ワーカーと呼ばれる教育、医療、福祉、公共サービスなどに関わるものとの間にも恐ろしいまでの格差が開く。それはただ経済上の問題だけはない。われわれの日常生活の質の低下や、安心感を大きく損ないかねないのである。

かつてアメリカの経済学者ロバート・ライシュが「シンボリック・アナリスト」と呼んだ金融・情報・専門職の新しいエリート層は、その舞台をグローバルな世界市場においているために、自国への帰属意識や政治的な公共心はきわめて薄い。徹底した個人主義や能力主義、競争主義、業績主義などの価値観が支配する。これはひとつの道徳上の革命であった。社会的な価値観の大きな転換であった。

そしてまた、この大競争の時代には、新しいイノベーションが次々と起きるが、それは、往々にして、巨額の研究開発投資を必要とする。しかも、イノベーションの成否が国の命運まで左右しかねないのである。約30年前のＩＴ革命は今日の生成ＡＩをもたらし、量子コンピューター開発や宇宙開発などの新たなデジタル・テクノロジーを次々と生みだす。こうしたテクノロジーはその国の経済成長を左右するだけではなく、軍事技術までも左右し、国家の安全保障上も無視しえないのである。

巨額な資金と人材を必要とするこれらのイノベーションには国家が戦略的に携わるほかない。それは、きわめて激しい国家間競争をもたらす。つまり、市場中心主義のグローバリズムは、たいへん皮肉なことに、一種の新重商主義、もしくは、国家資本主義とでもいうべき国家間の大競争をもたらしたわけである。

これは、ひとつのパラドックスといってもよいだろう。なにせ、冷戦後のグローバリズムのなかで、もっとも経済的成功を収めた国家が共産党支配の中国だったのである。冷戦が終わり、新自由主義が台頭した90年代初頭には誰もこんな事態は想像できなかっただろう。だが中国の実体が、「共産党によって管理された国家資本主義」であるとすれば、十分にありえることであった。

一方、先進国はというと、グローバリズムのなかで、十分な経済成長を達成できたとはいえない。２０００年前後のＩＴ革命によるアメリカの好景気を除けば、先進国の成長率は傾向的に低下している。そのアメリカも２００８年のリーマンショックを機に、決して安定した経済運営を確保できていないのである。その象徴が２０１７年のドナルド・トランプ大統領の登場であった。この異形の人物を大統領に担ぎ出すほどに、アメリカの白人低所得層の不満がたまっていたのである。

これが、冷戦後約30年の帰結である。グローバリズムのもとでの市場中心の経済は決して予想された輝かしい世界を実現したわけではない。いったい、冷戦後の勝者とは誰だったのであろうか。いや、グローバリズムとは、すべてが密接に結びつく世界であるから、勝者などいないというべきであろう。今日の勝者は明日の敗者になっても何の不思議もないのだ。

第2節 ❖ 「歴史の終わり」が「文明の衝突」を生みだす

トランプによる異形の民主主義

90年代のグローバリズムがもたらした変化は、それだけではない。二つめの特徴として、アメリカを中心とする自由・民主主義や法の支配、そして市場競争などの「普遍的な価値観」の世界への拡散というイデオロギーがあげられる。

西欧近代がもたらした「リベラルな価値」の普遍性である。しかも西欧の近代主義者は、それをただ理想的な理念として画布に描くだけではなく、現実として実現すべきであると考えた。ヘーゲル的にいえば、「理想的なものは現実になり、現実は理想的なものとなる」はずであった。

この考えを思想的に明瞭に打ちだしたのが、前章で述べたフランシス・フクヤマの１９８９年の論文「歴史の終わり?」である。政治体制の最終形態であるリベラルな民主主義の世界化によって、もはや戦争やクーデターは起きなくなる。みながそれなりに満足する時代になる。「歴史の終わり」が始まる。

その意味では、ロシアのウクライナ侵攻に対する「国際秩序を守れ」という欧米の掛け声も、フクヤマが掲げた「リベラルな価値」の普遍性に依拠している。現にフクヤマ自身、戦争でウクライナが勝てば、また一歩、「歴史の終わり」に接近するとも語っているのである。

しかしこの30年間を振り返れば、通俗化されたフクヤマのテーゼが歴史の動きを予言したとはとても思えないであろう。自由・民主主義の「本場」である欧米では、台頭する右派のポピュリズムが社会の分断を助長し、民主主義はむしろ政治の不安定化を招いている。

先にも触れたが、何といっても重要な出来事は、2017年のトランプ大統領の誕生だった。私は、トランプ大統領の登場は、2001年の9・11（アメリカ同時多発テロ事件）と並んで、冷戦以後の最大の出来事だとさえ思う。

彼の実像や政治信条はよく分からないとしても、この粗暴で大衆扇動的な人物が、常識的な大統領像にふさわしいとはとても思えない。しかし、トランプ支持者は、この常識外れの粗暴さ、独善性、敵対勢力への容赦ない罵声などに拍手喝采を送るのであり、その常識外れの強引さこそが現に求められているのである。アメリカというグローバリズムの中心部の、そのまた権力の中枢に、反グローバリズムを掲げる、この常識外れの人物が送り込まれるという事態ほど、グローバリズムの不安定さとその矛盾を暗示する出来事はないであろう。

その後、2020年の大統領選挙ではジョー・バイデンが僅差で勝利したが、2024年の選挙ではトランプの返り咲きの可能性はかなり高い。これは明らかにアメリカ民主主義の変容である。異形の民主主義といってもよい。

しかし、少し頭を冷やして考えてみれば、その特異な人物を大統領に押し上げた要因は決して理解できないものではない。ひとつは、グローバルな経済競争のなかで生じた格差であり、国家間競争であり、それがアメリカ社会をかくも不安定にしているのである。したがって、トランプの「アメリカ・ファースト」やメキシコからの移民制限政策をもたらしたものは、グローバリズムの失敗にほかならない。

そしてもうひとつの要因は、60年代から政治的な影響力を発揮しはじめたリベラル派の運動が、多文化主義の名のもとに、人種、性別、それにＬＧＢＴＱといった少数派の権利保護の過剰なまでの要求に行き着いた点である。リベラリズムは、今日、極端なポリティカル・コレクトネスや現実的な移民問題などを惹起（じゃっき）し、もはや信頼できる政治思想ではなくなってしまった。フクヤマのようなアメリカン・リベラルでさえも、苦言を呈するほどにリベラリズムは信用を失ってしまったのである。

しかも、多文化主義や少数派の権利保護を唱えて既存のアメリカ的価値を批判するものの多くが、高学歴で高所得をえるエスタブリッシュメントのエリート階層に属するのである。こうなると、とりわけ中間層から下のめぐまれない階層の白人の反発がでてくるのも当然であろう。彼らには、エリート層の主張するリベラルそのものが偽善であり欺瞞にみえるだろう。こうして、「リベラルな価値」の最大のパトロンであるはずのアメリカで、自由・民主主義の輝かしい旗は傷つき汚されている。

「自由・民主主義」から宗教へ――ハンチントン

そのなかで出現したのが、イスラム原理主義による欧米へのテロであった。アメリカ的価値観に公然と挑戦したアル・カイーダは、2001年に「歴史の終わり」の象徴であるニューヨークの世界貿易センタービルを攻撃した。現在では超大国に成長した中国もアメリカ的価値の普遍性には異を唱え、ロシアもいわずもがなである。

その意味では、90年代にフクヤマの「歴史の終わり」論に対抗して話題となったサミュエル・ハンチントンの「文明の衝突」論を（多少の修正を加えながらも）改めて想起したくなる。

ハーバード大学の政治学者ハンチントンは、よく知られているように、1993年に論文「文明の衝突？」を発表して話題をさらい、1996年に彼はこの論文をもとに『文明の衝突と世界秩序の再構築』という書物を刊行した。

冷戦後世界についての彼の見通しは、フクヤマの「歴史の終わり」論とはまったく異なったもので、冷戦という二つのイデオロギーの対立が終わった後にでてくるのは、歴史や文化を共通にする集団同士の対立である、という。それを彼は「諸文明の衝突」と呼んだ。

人々は、もはやイデオロギーに自らのアイデンティティの基盤を置くことはできない。社会主義者は自由主義者を前にして、もはや「このブルジョワの犬め」などと偉そうに罵倒することはできなくなった。自由主義者のほうも、「共産主義という悪魔」がいなくなれば、自らの「自由主義」にも、ほころびがでてきたのである。

それにかわって自らのアイデンティティを確認するものは、自らが属する集団の歴史であり、文化であり、それに支えられた集団の価値である。「われわれは何ものなのか」が新しい問いとなる。アメリカも改めて「アメリカとは何か」と問わずにはおれないのである。

そしてその中心に置かれるのは宗教だとハンチントンはいう。文化の核心には宗教的な精神があるというのだ。

そこで彼は、宗教を中心にした共通の文化意識をもつ集団を「文明」と定義し、いくつかの「文明」が対立しあう、という。これが「文明の衝突」論であった。少し単純化していえば、冷戦後の世界に、再び、一種の宗教対立が舞い戻ってくる、というわけである。

一見したところ、これは、フクヤマの通俗的に理解された楽観論とはまったく対立する見解である。実際、両者はしばしば対立的に論じられる。しかし、そうだろうか。フクヤマとハンチントンのいずれが正しいかという議論自体が間違っているのではなかろうか。現実には「歴史の終わり」と「文明の衝突」は同時並行的に起きるからだ。われわれはそれほど単純な世界にいるわけではない。

確かにフクヤマの「歴史の終わり」はグローバリズムのもとで一定程度進展する。冷戦後、ロシアでさえも形だけでも選挙による政治を導入したし、いかなる国でも個人の自由という理念を正面から否定するのは難しい。

抽象論として、「個人」から出発すれば、誰も、「個人の自由」や「人々の平等」や「合理的思考」を批判することは難しい。しかし、現実には、それは、イスラムの宗教原理とは対立するだろう。ロシアの家族主義や神聖性の観念とも対立するだろう。中国の儒教的倫理とも対立するだろう。インドのヒンズー的文化とも齟齬(そご)をきたすだろう。日本の「世間」という社会構造とも調和しないだろう。

となれば、この抽象的価値観が普遍性を唱えれば唱えるほど、自由や民主主義そのものがあくまで西欧文化の産物であって、その世界化こそが、逆に非西欧的世界の人々に対して脅威を与え、自国の歴史や文化についての記憶を覚醒させるのである。

これらの非西欧的世界の人々は、「個人の自由」や「合理的思考」を超えた何ものかが、彼らの文化の底に堆積(たいせき)していることに自覚的になる。それは、彼らの歴史に通底している超自然的なものであり、自分たちの生に意味を与え、その死生観を形作り、時には、世俗生活の苦悩から自分たちを救いだしてくれるものである。

西欧から入ってきた「個人主義」も「自由主義」も「平等主義」も「合理主義」も、結局、自分たちの生や死の意味づけにはさして役に立たず、本当のやすらぎをえることができないどころか、むしろ、そうした観念こそが、社会の内なる対立や摩擦を生むと感じられたとき、彼らは、彼らの歴史のなかにある、もっと身近な信念体系を再発見する。それは往々にして、世俗の個体的生命を超えたものであり、その核にあるのは宗教である。宗教的な信条こそが文化の核を作ってきた。

とすれば、異なった宗教体系を意識の底に堆積させている文化は、それぞれ異なった文明を作るだろう。諸文明は、それぞれ、己の信条の向かう先、たとえば、生死の意味づけや聖なるもののイメージにおいて、かなり異なった信念体系をもち、異なった文化をもつであろう。

かくて、冷戦後の世界は、西欧の近代的価値の世界化どころか、宗教と文化の相違によって互いに区別される複数の「文明」の時代になる、というのである。

歴史の「四層」の構造

そこで、私は、世界をみる場合、次のように重層的に理解しておきたい。

精神分析家のフロイトは、人間の意識の層として、「超自我（スーパー・エゴ）」「自我（エゴ）」「無意識の欲動（エス）」の三層を区別した。

超自我は、こうあるべきだという一種の理想化された自我であり、他方に、無意識に自己を動かす欲動のような「エス」がある。その両者にはさまれて、具体的な現実を生きる自我がある。「自我」は、無意識のなかから湧き上がってくる「エス」をそのまま受け取るのではなく、「超自我」という理想的で道徳的な価値による検閲を通して現実に生きる「私」になる。

さらにここにユングを付け加えておけば、フロイトの個人の無意識のさらに根底に「集合的無意識」を想定してもよかろう。このフロイトの三層図式、あるいはユングを加えた四層図式は、私には、世界や歴史をみる場合にもあるヒントを与えてくれるように思われる。歴史を動かし、世界を作るものも所詮は人間の活動であれば、そこにこの意識の四層がまったく作用していない、というほうが無茶ではなかろうか。

そこで、この四層はあくまで類比のヒントに過ぎないと断ったうえで、次のように考えておきたい。

われわれが歴史や世界に関わるとき、もっとも表層では、ある種の理念や思想や何らかの高い価値を掲げる。自由・民主主義の勝利という歴史像もそうであるし、マルクス主義の唯物史観もそうである。あるいは、世界のすべての人々が一人残らず平等で平和に暮らせる世界構築などという国連的な理想主義もあるだろう。

その次の中層にあるのは、現実的なあり方で、個人でいえば、自己利益や生存の確保、仲間との信頼関係などがあり、国家の場合は、国益や勢力圏や生存圏や同盟関係や敵対関係、戦争や紛争などがある。その下の深層にあるのが、ほとんど無意識のうちに人々の思考様式の型を与える文化であり、歴史的経験である。宗教的なものが大きな意味をもつのは、さしあたっては、このレベルである。

そしてさらにその底の基層まで降りれば、いっそう深いレベルでひとつの集団のあり方を根本的なレベルで支えているものがある。それを「風土的基層」と呼んでおきたい。

和辻哲郎が『風土』で論じたように、確かに、砂漠地帯の生と日本のようなモンスーンの生には大きな違いがある。広大な牧草地帯と山岳地帯、あるいは熱帯の間で、生の根源的なあり方が違うのも当然であろう。私は、この「風土」という基層はかなり重要だと思っているが、そうかといってそれで万事を説明できるわけでもない。

改めて確認しておけば、「表層」における理念、思想、イデオロギー、「中層」における自己利益、権力など、「深層」における歴史・文化・宗教、「基層」における風土的条件。およそこの四層構造で、この現実へ向き合うわれわれの姿勢を捉えておきたい。

ロシア・ウクライナ戦争にある価値の二重性

今日、現象の「表層」において、われわれはグローバリズムの進展を自由の拡大として理解し、「リベラルな価値」の普遍性を唱えている。しかしそれを一皮むけば、「中層」の国益の対立や、時には戦争という厳しい現実が姿を現す。しかし、より重要なのは、その調和や対立をもたらす背後をみれば「深層」の歴史・文化、そして思考の祖型としての宗教意識があるということだ。そして、さらにその先には「基層」としての「風土」が広がる。

少し簡単にして、「価値観」に焦点を絞れば、価値にも「表層」と「深層」があり、われわれは、この価値の二重構造の世界に住んでいる。一方で、「表層」では、グローバル化が進展し、「リベラルな価値」が唱えられ、フクヤマのいう「歴史の終わり」がグローバル・イデオロギーとなって、なかなか見栄えのよい「表層的価値」を掲げることはできる。

しかし他方で、それがうまく機能しない場所では、その背後に隠された文化や風土がもたらす独自の価値観が鎌首をもたげてくる。現象の「深層」にはどこまでいっても文化や宗教が横たわっており、そこには、いわば「無意識の価値」が潜んでいる。

この世界には様々な文化や文明が存在するが、グローバリズムの加速とは、「普遍的価値」によって、世界全体を画一化しようとする運動であるとすれば、この普遍的価値は、各国の文化のレベルにまで浸潤してゆくであろう。いいかえれば、文化といういわば価値の地下層にまで、表層のアメリカ的価値観が浸透してゆくことを意味している。

そのとき、欧米以外の国からすれば、アメリカン・リベラリズムという表層価値の浸透は、自国の文化や生活に対する介入や圧迫と捉えられる。それに対抗しようとする国がでてきても不思議はない。

このとき、フクヤマのいう「歴史の終わり」へ向けた動きがまさに「文明の衝突」を引き起こすのである。イスラム原理主義の反欧米的行動には明らかにこのような面があり、私には、ロシア・ウクライナ戦争の背後にも、やはり価値の二重性があるように思われる。そのことはまた次章で述べよう。

ネオコンの影響力はなぜ続くのか

ところで、自由・民主主義、市場経済などの「普遍的価値」の世界化を唱え、そこにアメリカの使命を説く知識人グループといえば「ネオコン（ネオ・コンサーバティブ）＝新保守派」がすぐに想起されるだろう。

とりわけ、2001年のアル・カイーダによるアメリカ中枢へのテロ攻撃以後、徹底した対テロ戦争を唱え、2003年には、いささか強引なイラク攻撃をジョージ・W・ブッシュ大統領に進言したとされ、政権への影響力がしばしば話題になる知識人や政治家のグループである。当時のラムズフェルド国防長官も、またチェイニー副大統領もネオコンといわれている。

フクヤマも少なくとも2003年のアメリカのイラク攻撃まではネオコンとみられていたが、イラク攻撃を契機にネオコンから離れたともいわれる。いずれにせよ、グローバル・イデオロギーを論じるうえではネオコンの主張を無視することはできない。

そのネオコンの源流を辿れば、その多くは1920年代に欧州やロシアからアメリカへ移住してきた亡命ユダヤ人とされ、彼らの子供たちはニューヨークでの貧困生活のなかで苦学し知識人となってゆく。ニューヨーク市立大学がそのひとつの拠点となって、彼らは「ニューヨーク知識人」と呼ばれるグループを作っていった。

加えて、そのなかにはロシア革命で母国を追われたユダヤ系が多くいた。ロシア帝国の時代に差別、抑圧を受けていた多くのユダヤ人がすでにアメリカに亡命していたが、またかなりのユダヤ人がロシア革命に参加している。

革命政権の幹部の相当数がユダヤ系だともいわれているが、周知のように、革命政権の樹立とともに、スターリンとの権力争いに敗北したトロツキーは海外に亡命し、多くのトロツキストもまた出国した。トロツキーもユダヤ人であり、その後のスターリンの反ユダヤ政策によって、多くのユダヤ人やトロツキストがアメリカに亡命したわけである。

ニューヨーク市立大学をひとつの拠点にした若きトロツキストたちは、スターリンの共産主義と断固として戦うこととなる。アーヴィング・クリストルやネイサン・グレイザー、ノーマン・ポドレツ、ダニエル・ベルなど、アメリカを代表する知識人が含まれる（ベルはネオコンと呼ばれることを最後まで拒否していたが）。彼らは、もともと共産主義にシンパシーをもっており、アメリカでの共産主義運動に参加したものもいるが、やがて反スターリンゆえ、反共に転じ、アメリカに同化するにつれ左翼リベラルへと変化してゆく。

当初、アメリカの左翼に属して民主党系であった彼らは、反共主義を掲げてソ連との対決を強く訴えていた。しかし、60年代の民主党系左翼によるベトナム戦争反対、カウンターカルチャーによる文化的退廃（と彼らには思われた）、若者による道徳的価値への攻撃という事態を目撃するに及んで、民主党系の左翼リベラル派から共和党系の保守主義へと転じてゆく。そして80年代のロナルド・レーガン大統領の登場とともに、急速に政治的影響力を発揮することとなる。

レーガン大統領の登場以前の70年代には、彼らはすでに「ネオ・コンサーバティブ」を自認していたが、そこにはアメリカ社会の大きな変化があった。

従来アメリカ社会を支えてきた重化学工業や製造業を軸にした大企業体制が変質し、各種の専門家、科学者、大学人、弁護士、建築家などといった知的な専門職を手にしたものが新たな階級（ニュー・クラス）を作り始めていた。

この新たな支配階級と、カウンターカルチャーを唱える、ニューレフト（新左翼）と呼ばれる反体制的な若者たちこそが、社会の新たな担い手であり、アメリカの伝統的価値の破壊者であった。戦後生まれのベビーブーム世代のこの若者たちは、アメリカ社会のモラルを攻撃したのである。しかもこの伝統的価値の破壊者は、所得も学歴も高いエリートたちであった。

ネオコンは、このようなニューレフト的な動向に強い危機感をもつようになる。この新しいエリート層から、本来のアメリカの自由・民主主義と伝統的な道徳的価値を守るべきだと主張する。

しかも、もうひとつ重要なのは、問題は国内だけではないということだ。アメリカ的価値を維持するには、海外からの攻撃や批判からも「アメリカ合衆国」を保守する必要があった。その最たる敵がソ連であったことはいうまでもないが、後には、イスラム国家や中東の反米国家や南米の反米政権なども含めて、アメリカ的価値に対する敵対者には断固たる措置、時には強固な軍事行動も辞さない、という強硬姿勢が鮮明になってゆく。

そうなると、アメリカのリベラル的価値は世界化するほかない。一種の形容矛盾ともとれるが、アメリカの「リベラルな価値」の普遍性を唱えるのが「新保守」ということになってゆくのである。

ちなみに、トランプは、ネオコンとは一線を画している。ネオコンは、基本的に「リベラルな価値」をアメリカの建国の精神にもとづいて振り返り、その価値の保守のためには、海外の敵対勢力との戦争も辞さないのであるが、このような姿勢はトランプにはない。トランプはあくまで内向きのアメリカ第一主義であって、世界的戦略というものはない（なお、アメリカ保守思想における「ネオコン」の位置については、井上弘貴『アメリカ保守主義の思想史』〈青土社〉を参照）。

かくて、冷戦下においては、自由・民主主義、市場経済の優位を説いてソ連という「悪の帝国」との対決を説いたネオコンが、冷戦後には「リベラルな価値」の世界化を主張するのは当然であっただろう。アメリカが掲げる普遍的価値に対する敵対者に対しては、場合によっては予防的先制攻撃も含めて武力行使を辞さないのである。アメリカの価値を守るには、強力な軍事力が必要なのだ。

この軍事力を頼りに、ネオコンは、イスラム原理主義との対テロ戦争、イラク攻撃、中東への介入を主導し、普遍的価値にもとづいた「国際秩序」を構築すべく、アメリカによる世界への関与を訴え、時には体制転換（レジーム・チェンジ）をも画策した。

ネオコンからすれば、中国の習近平やロシアのプーチンこそ「国際秩序」に対する敵対者とみえたとしても不思議ではない。バイデン政権で国務次官を務めるビクトリア・ヌーランドもネオコンといわれており、ネオコンは常にその時々の政権に一定の影響力をもっているが、それもアメリカの建国やその歴史的事情を考えてみれば理解が難しいわけでもない。

また「ネオコン」はひとつの典型だとしても、こうなると、特に「ネオコン」にこだわる必要もない。また、「ネオコン」の創設者たちにユダヤ系の影響が強い、といった歴史的経緯にことさらこだわる必要もない。

なぜなら、アメリカという国は、もともと、西欧において政治的・宗教的な迫害を受けたプロテスタントが切り開いた国だからである。彼らは「新しいエルサレム」の建設を夢想してこの新天地に辿り着いた。彼らが、抑圧からの解放と救世主待望、すなわち、理想世界を求めるメシアニズムを背後に背負っていたことは容易に想像できるだろう。ユダヤ系に限らず、福音派（ふくいんは）（聖書の記述を忠実に守ろうとする、プロテスタントの一派）も含めて、その千年王国論の世俗化が、ネオコンに典型なように「理想的で普遍的な価値の現実化」をめざす「歴史の終わり」論へ行き着くのも当然の帰結というべきであろう。

一言付け加えておけば、資料的にどこまで確実なのかは不明であるが、たとえば後にも述べるドイツの経済史家のヴェルナー・ゾンバルトは、「プロテスタントとはユダヤ人である」と書いている。むろん、これはかなり極端な論争的主張であるが、彼が述べるように、アメリカに渡ったプロテスタントの多くが、16世紀にカトリックのスペインを追われてヨーロッパ各地へ転在したユダヤ人の改宗者であった可能性は十分にある。スペインで迫害されたユダヤ人はキリスト教に改宗して「コンベルソ」と呼ばれ、また「マラーノ」（豚の意）という蔑称で呼ばれた。彼らは、オランダやイギリスをへてアメリカへ渡ったのであろう。かくて、ユダヤ系からの改宗者にまで目を向ければ、アメリカにおけるユダヤ教とプロテスタントの宗教的な基底にはかなり重なりがあるのだろう。

こう考えれば、これは、ネオコンやユダヤ主義に限定されるものではなく、アメリカの独特の歴史観の背後に、広くユダヤ・キリスト教的な宗教意識があるといって大過ない。「自由と民主主義の共和国」から出発したアメリカは、自由や民主主義の普遍性（世界性）の旗を掲げる限り、「自由や民主主義の帝国」にもなる。この場合、「自由、民主主義、法の支配、市場経済」などの「リベラル的価値」の世俗的実現というアメリカの歴史的使命を背後で支えるのは「ユダヤ・キリスト教のメシアニズム」といってもよかろう。世俗的価値の背後にはユダヤ・キリスト教がある。

冷戦後のアメリカの覇権やロシアとの対立などをみれば、むろん、そこに資源をめぐる競争や国益や地政学的事情があるのは事実である。それはいうまでもないことだ。しかし、この背後には、いわば「深層」レベルで、彼らを突き動かしている何かがある。宗教意識につながるような何かがある。そのことをわれわれはあわせて考えるべきであろう。冷戦後の世界をみれば、現在の戦争の背景を考えるうえで、世界への関与に積極的な「ネオコン型の思考」を無視すべきではない。

第3節 ❖ ロシアの挫折と、プーチンの屈辱

ここで少しロシアに目を転じてみよう。

彼らもまたこの約30年間に大きな挫折を経験した。豊富な資源と広大な領土を保持し、いち早く宇宙に人を送り、戦後すぐに原爆実験に成功し、アメリカと並ぶ核保有大国であったにもかかわらず、ロシアは冷戦崩壊後、もはや大国どころではなくなった。

特に冷戦が終わってから10年間の経済の落ち込みはひどかった。90年代末のロシアのＧＤＰは冷戦崩壊直後の４割程度になった。かつて国有資産であった石油・天然ガス等の天然資源を冷戦崩壊時にゆずり受けて巨額な利益を得たのは、もっぱら政権と結びついたオリガルヒ（新興財閥）であったことがその理由のひとつである。

彼らは、この資源を海外に売って巨額の利益を手にしたものの、その利益をロンドンやニューヨークなどの海外の金融市場で運用し、あるいは地下経済の隠し資産とした。それは、ロシア国内に還元されたわけではなく、一般労働者はきわめて貧しい状態に置かれたのである。

こうしたロシアの内情を変えようと試みたのが、プーチンである。２０００年に、ボリス・エリツィンから大統領の座を引き継いだプーチンは、政治腐敗の原因であったオリガルヒと徹底的に対峙（たいじ）し、その政治的影響力を遮断し、ロシアの国力の強化をめざしたことで、それなりの国民の支持をえたのである。とはいえ、今日からみれば、それがうまくいったかどうかはまた別である。プーチンはその後、自らの意にそぐわないものを徹底して排除する独裁的政治へとなびいていったからである。

いずれにせよ、プーチンは当初はＮＡＴＯ（北大西洋条約機構）やＥＵに接近し、グローバリズムのなかでそれなりの立ち位置を確保しようともしていたのであり、実際、ロシア経済の経済成長率は、プーチン登場後の10年で年平均６％前後を実現し「奇跡の復興」ともいわれたのである。ロシアの大都市には、欧米の華やかな商品も並び、マクドナルドも人気を博していた。

しかしそれにもかかわらず、欧米からすればプーチンやロシアに対する警戒感は強く、とりわけ、２０１４年のクリミア併合以後、欧米からの制裁もあり、ロシア経済は１％前後の成長率で推移することとなる。所得の不平等さを示すジニ係数も0.4—0.5と大きな所得格差を示している。

これが冷戦後のロシアである。おそらくどこまでいっても「二流国」として扱われることをプーチンは痛感したのであろう。

ついでにいっておけば、ウクライナも同様で、冷戦崩壊後のウクライナの富はほとんどウクライナ・オリガルヒによって独占され、一時は、ＧＤＰの８割ほどをオリガルヒが手にするともいわれた。彼らはまた政界とのつながりが深く、しかも、オリガルヒそのものが、親ロシア派と親欧米派に分かれる。ヴィクトル・ヤヌコーヴィチ元大統領は親ロシア派のオリガルヒであり、ユーリヤ・ティモシェンコ元首相は親欧米派であり、また、今日、ゼレンスキーに近いともいわれるイーホル・コロモイスキーはユダヤ系のオリガルヒである。当然、彼は親欧米派である。こうなると、いったい、ウクライナの民衆はどうなっているのだろうかと思わざるをえない。

「二流国」という屈辱

ここには、ただ冷戦の名残というだけでは済まされないもっと根本的な何かがあると思われる。ウクライナを真ん中にはさんで、ヨーロッパとロシアの関係は複雑である。われわれ日本人にはなかなか想像の及ばないものがある。歴史のうちに堆積された、西欧とロシアの間の風土的・文化的、さらには宗教的な精神の大きな隔たりがあり、それに加えて、ウクライナとロシアの関係はロシア帝政の時代からずっと複雑なままであった。同じスラブ系というだけでは理解できないものがある。

話を戻すが、何といっても「近代社会」を作り、近代世界を動かしてきたのは西欧やアメリカであり、ロシアはその後塵(こうじん)を拝してきた。冷戦で二大大国といっても、対等に並んだわけではない。その後のグローバリズムの時代にあっても、世界を動かすのは、たとえばG8のなかで英、米、仏、独であり、ロシアや日本ではない。そこには容易には埋めがたい溝がある。

プーチンにとっては、「二流国」という現実を受け入れるのは屈辱以外の何ものでもなかったはずだ。しかもグローバリズムが機能不全となり、自由や民主主義、市場経済という「普遍的価値」がロシアを決して幸せにしないとなると、ロシアにおいて、欧米に対抗するスラブ民族主義が台頭し、その勢力圏の再興という野心が頭をもたげても不思議ではない。ロシアの民衆にもその種の意識が芽生えるであろう。

また、かつてロシア革命を逃れて欧米へと亡命した知識人の唱えた「ユーラシア主義」なるロシア・アイデンティティが、部分的であれ復活することにもなろう。ロシアは、ヨーロッパでもアジアでもなく、しかしまたユーラシアの真ん中で、ヨーロッパともアジアとも重なる独特の国家だというアイデンティティである。となれば、ロシアからすれば「自陣営」にあり、スラブ民族の核であるはずのウクライナによるＮＡＴＯ加盟申請や欧米への接近は、ロシアへの背信とも映ったであろう。

繰り返すが、私はここでプーチンの侵略行為を正当化しようとしているわけでは決してない。あくまでロシアの事情を推測しているだけである。

一方、ウクライナからすれば、スターリン時代の悲惨な記憶は決して消えまい。とりわけ、１９３２―33年に生じた「ホロドモール」と呼ばれる大飢饉では４００万人以上が死亡したとされるが、その一因はスターリンによる強制的な徴税だといわれる。

ウクライナにはロシアによる一方的な「支配」から逃れたいという歴史的な願望が継承されてきた。１９４１年に、ヒトラーのナチスはソ連への侵攻を開始し、ウクライナへ攻め入った。このとき、ソ連からのウクライナ独立を求めるウクライナ人のなかには、ナチスを解放軍とみてこれを歓迎したものも多かった。それほどウクライナのソ連に対する反感は強かった。だがすぐに、ナチスはウクライナでユダヤ人の虐殺を始め、ウクライナの独立運動派の人々も虐殺されたのである。

しかも今日でも、ウクライナの内部にロシア系住民と親西欧的な住民が同居しており、両者はどうも平和共存というわけにはいかないようである。ロシアとウクライナ、そしてポーランドやドイツ、トルコなど近隣諸国間の歴史的背景の複雑さは、われわれの下手な想像をはるかに超えている、といわねばならない。

第4節 ❖ 西欧近代を作ったユダヤ・キリスト教

宗教改革から西欧近代へ

いずれにしても、ロシアの侵略の背後にあるものは冷戦後のグローバリズムの機能不全である。そのことをわれわれは改めて認識しておこう。ひとつは、グローバル経済が決して良好には機能していないという点であり、もうひとつは、それを支える自由・民主主義などの「普遍的価値観」を築き上げてきた西欧近代の思想的限界が露呈されてきているという点だ。本論が関心をもっているのは、後者である。

だが、この場合、いわゆる「西欧近代」とはそもそも何なのだろうか。

たとえば、西欧では16世紀の宗教改革の後、世俗の主権国家と教会の宗教権力は、一応、分離され、17世紀のウェストファリア条約で国際法が生まれた。ヨーロッパを大混乱に陥れた宗教戦争は、最後には30年に及ぶ血で血を争う悲惨な状況をもたらした。キリスト教の教会改革がヨーロッパ全土の政治的対立と戦争を引き起こした無残な経験からヨーロッパが学んだことは、宗教（ローマ教会）から独立した主権国家を作ることだった。それが「政教分離」をもたらす。いわゆる「政教分離」とは、あくまで「国家」と「教会」の分離である。「国家」が特定の「教会」と特別な関係をもたない、ということである。

ホッブズが苦労して国家契約論を作ったように、論理的には、ローマ教会の宗教的権威から世俗の政治的権力は分離し、ここに世俗的な主権国家ができる。そうなると、キリスト教という普遍宗教とは別に、主権国家同士の「国際関係」が成立する。

いうまでもなく、「国際関係」とは、あくまで「国家・間・関係」である。まずは主権国家があるのだ。そして、こうしたシステムを作り上げたウェストファリア体制は、今日の国民国家の形成や、「国際関係」という考え方の出発点になった。

しかしこれはあくまでも西ヨーロッパ（西欧）という枠組みに即した論理であって、「世界の常識」ではない。しかも、そのヨーロッパでさえ主権をもった国民国家体制が本格的にできるのは、第一次世界大戦によってオーストリア・ハンガリー帝国が崩壊してからのことであった。

また、マックス・ウェーバーの有名な『プロテスタンティズムの倫理と資本主義の精神』の議論を借りれば、近代の個人主義や合理主義、科学的実証主義などが西欧に根付くのも、その背後にプロテスタンティズムが存在してのことである。ここでもまた、宗教改革が、結果として西欧の近代化に決定的な役割を果たしたわけである。

ウェーバーの主眼は、なぜ、英米を中心にして資本主義は展開したのか、という歴史的事実に説明を与えることであった。プロテスタントのなかでも、特にカルヴァン派の流れが強い地域から資本主義が発展したとみる彼は、カルヴァン派のもつ「救済の予定説」と強力な「世俗内での禁欲」の倫理こそが、近代資本主義の精神の形成に一役買ったという。

それが「近代的」なのは、彼のいう資本主義とは、人々の労働を支える真面目な勤勉の精神、また合理的な利益計算や確実な投資、人間の相互信頼にもとづいているからである。つまり、倫理的精神をもったモノづくりの資本主義である。それは、基本的に、西欧にしか成立しなかった。もっとも、明治の日本資本主義には特有の倫理観や勤勉の精神があったが、それは非西欧世界ではきわめて稀な例である。

ところが20世紀に入る前後になると、アメリカを中心にもっぱら金銭的利益を自己目的とする一種の金融資本主義が幅をきかせるようになる。よいモノを作るよりも、金銭的利益のほうが大事になる。勤勉の精神にもとづく「市民的資本主義」は、金銭主義的で享楽主義的な資本主義に飲み込まれていく。

それをウェーバーは「ユダヤ的賤民的資本主義」と呼んだが、その名称はともかく、ここで彼は特定の場所に根付いたモノづくりの経済と、国境を越えて無国籍的に流動する金融の経済類型を区別したわけである。

一方には、特定の場所に根付いた合理的経営と勤勉の精神を併せもったモノづくりの資本主義があり、他方は、脱場所化し、世界をまたにかけてカネを動かし、貪欲なまでに利益を求める資本主義である。そして、彼はやがて後者が前者を飲み込んでゆくという近代文明の行く末を予言していたともいえよう。

「市民的資本主義」と「ユダヤ的資本主義」

ここで少し脱線して、ユダヤ人と資本主義との関係を簡単に論じておきたい。

ウェーバーは、ピューリタン（イギリスにおけるプロテスタント）の倫理的精神をもった「西欧的・市民的資本主義」と「ユダヤ的賤民的資本主義」を区別して、前者こそが、西欧やアメリカの合理的で近代的な資本主義を生みだしたと述べた。それが、20世紀にさしかかると、アメリカでは「ユダヤ的賤民的資本主義」のような貪欲な金銭的利益を求める金銭中心的な資本主義にとってかわられてゆく、と論じる。

しかし、これは別に20世紀のアメリカに始まったわけではない。また、こういったからといって、ウェーバーのいう「ユダヤ的賤民的資本主義」が汚いとか非道徳的だとかいっているわけでもない。それどころではない。ウェーバーの論敵であったゾンバルトなどは、実際には歴史を通じて資本主義を牽引してきたのは、一貫してユダヤ人だったと主張するのである。

ウェーバーのピューリタンに対抗して、ゾンバルトは、ユダヤ人こそが資本主義の担い手であったという。彼は、『ユダヤ人と経済生活』（1911年）や『ブルジョワ』（1913年）においてウェーバーを鋭く批判した。いっさいの偶像崇拝や神秘主義や感覚的享楽を排するユダヤ人こそ、抽象的な合理的精神を世俗化し、しかも、あの厳しい律法を守ろうとする徹底した禁欲主義者である。かくて、ユダヤ人は、プロテスタントの近代的、合理的資本主義にまったく劣らない合理的で倫理的な資本主義の担い手であった。少なくとも、ピューリタンとユダヤ人の精神に大差はない。

こうゾンバルトは論じた。そして、その多くの論点について、事実上、ウェーバーも同意するのである。では、ユダヤ的資本主義とは何なのか。ユダヤ人と資本主義を結びつけるものは何なのか。

ゾンバルトに即していえば、それは、まさにユダヤ人のもつ「賤民性（パーリア性）」にある。「パーリア性」とは、「賤民」というより、固有の国や土地や故郷をもたず、他国や他の場所に寄宿する性格、つまり「寄留性」といったほうが適切であろう。振りかえれば、紀元70年前後にローマ帝国に国を滅ぼされ諸国の流浪を余儀なくされて以来、「パーリア性（寄留性）」こそがユダヤ性を特徴づけている。

「故郷喪失者」としてのユダヤ性、そこからユダヤ人と資本主義を結びつける、次のような特徴が浮かび上がってくる。第一に、ユダヤ人は世界中に散らばりつつも、様々な国に寄留し、そこで仕事をもつ。さらには、その国の政府に関わる国家の要職にまで入り込む。

第二に、世界に散らばるにもかかわらず、ユダヤ人は相互のつながりを保ち続け、その結果、様々な国の事情や情報をいち早く手に入れ、それを世界中のネットワークで伝達する。

そして第三に、ユダヤ人は、寄留地において、その場所に根付いた伝統的な仕事や組織的な仕事につくのは難しい。逆に、特定の場所や文化に拘束されない、世界中をつなぐ自由な活動に向いている。それは、典型的にいえば金融であり、商業活動であった。だから、ゾンバルトは、一人のユダヤ人とは、ただユダヤ人なのではなく、世界中に展開する商社の一員である、と述べているが、ここに世界中に展開する金融業者の一員である、と付け加えてもよいだろう。

ここまで書けば、なぜ、ゾンバルトがユダヤ人こそ資本主義の担い手であるというのか、その理由は明快であろう。ロスチャイルドやゴールドマン・サックスのようなイメージがあるせいか、われわれは、つい、ユダヤ人の国際性というと、世界中の銀行と関係をもち、金融業によって途方もない財産を築き上げた大富豪を思い起こしてしまう。あるいは、『ヴェニスの商人』のシャイロックのような温かさも人情もない強欲でケチな人物像を想像しがちである。

しかし、そうではない。そもそもの「パーリア的性格」のために、ユダヤ人は最初から、ボーダーレスな空間に置かれ、土地や場所の匂いのする文化とは無縁な経済活動に活路を見出すほかなかったのである。それは、何よりまず国際金融であった。貨幣こそは、ボーダーレスな運動にふさわしく、特定の場所や文化に縛られない。しかも、その禁欲的な生活態度と、抽象的・合理的なものに対する愛好は、合理的計算による金融にふさわしい。さらに、手にした利益は、浪費、蕩尽（とうじん）するのではなく、合理的な投資へ向けられた。

貨幣が貨幣を生むという、このもっとも純粋な資本主義こそが、ユダヤ人に向いていた。しかもそれは、脱場所化し、脱国境化したグローバリズムそのものを舞台とするにふさわしいであろう。付加的に述べておけば、同じような理由で、科学・学術、それに情報産業、とりわけメディアがユダヤ人の活躍の舞台となるのはほとんど必然のようにさえ思われる。

ゾンバルトがこういう議論を展開したのは、あくまで20世紀の初頭であり、むろん、その後のナチスによる虐殺も、戦後のイスラエルの建国も、ロシア革命も、また、アメリカにおけるユダヤ系移民の活躍も知らない時代である。しかし、彼が問題にしたかったのは、様々な歴史的事実や経験的な事象の積み上げというよりも、「ユダヤ性」と「資本主義」の間にある類縁性であり、それゆえに、この両者が必然的にもつつながりであった。

ここでの私の関心もそうである。具体的なユダヤ人の活動や金融とのつながりや影響力ではない。

だから、現実に存在する民族としてのユダヤ人について論じているわけではない。いわば「ユダヤ性」あるいは「パーリア性」というべきある特有の「類型」についてである。したがって、それは、ユダヤ教徒のみならず、どこにでもみられる。いわば誰もが多かれ少なかれ「ユダヤ性」をもっているのである。

しかし、あえてこのように「ユダヤ性」という言葉に固執してある類型を指し示したのは、元に戻せば、ウェーバーが述べたように、ある場所に根付き、ある種の倫理的な精神をもち、地縁的な人間関係を基礎にした組織による産業活動と、他方の極にある、脱場所化し、脱国境化し、特定の文化や歴史から切り離された金融的・情報的な経済活動を区別したかったからである。この「モノの生産」に関わる経済と、「カネの動き」に関わる経済の区別は、かつて、イギリスにおいてはケインズが、アメリカにおいてはヴェブレンが強調したものであり、しかも、現代の経済学がまったく見失ったきわめて大事な論点なのである。

ウェーバーは、それを「市民的資本主義」と「ユダヤ的資本主義」として区別したが、確かに、この二つの経済活動の類型は区別できるのである。そして、今日のグローバリズムを眺めたとき、われわれは、圧倒的な「ユダヤ的資本主義」の活動に目を奪われるであろう。ここでいう意味での「ユダヤ性」と「金融グローバリズム」には密接な内的つながりがあるからだ。

しかも、ユダヤ人の禁欲的態度は、快楽的で贅沢な生活とは無縁なため、経済活動からえられた利益を投資してさらに利益を増殖してゆく。貨幣が貨幣を生む資本主義そのものだ。そのことをサルトルは『ユダヤ人』のなかで次のように論じている。ユダヤ人は自己の帰属する確かな場所をもたないために、常に不安感に取りつかれており、現にある自分の所有物や地位に決して満足できない、と。

そうだとすれば、「パーリア」がもたらすこの不安ゆえに、ユダヤ人は、無限の金銭の獲得を余儀なくされ、よりいっそう高い地位や所得を求めようとするであろう。神はイスラエルの民に対して、「勤勉に働き真面目に務めよ」、そして「産めよ、増やせよ」と命じた。そこに神の加護がある。これは、ケチとか守銭奴（しゅせんど）というようなこととは違っている。もっと、深いレベルにある宗教的な痕跡を残した信条であろう。

こうなると、確かに、それは厳密な意味でユダヤ人に限られたことでもないであろう。そもそも、ヨーロッパの各地から故郷を捨てて新天地へやってきた人たちが作った「アメリカ」という国が、巨大な「パーリア」の集合体であった。そこに、アメリカが、合理的精神と科学・技術による富と自由の無限拡張を求める根本的な理由があるのかもしれない。少し脱線したが、確かなことは、ユダヤ的であろうと、ピューリタン的であろうと、いずれにせよ、『旧約聖書』の一神教的宗教意識を背景にもった西欧の生みだした経済活動なのである

（なお、ユダヤ性と資本主義の関係については、拙著『貨幣と欲望』〈ちくま学芸文庫〉を参照されたい）。

西欧近代が生みだした二つの大国

さて、改めて、西欧近代をどのように理解するかという本筋に戻ろう。

伝統文化に支えられた特定の国や場所に根を張らず、国境を越えて流動し、政治的活動を剝奪されているかわりに、合理的な経済活動に命を預けたユダヤ人こそが、世界をネットワークで結んだ資本主義を発展させた。

しかも、それは、世界を股にかけるという意味で普遍的な活動なのである。そのようにみれば、ウェーバーのいう、合理的で近代的で勤勉の精神に裏付けられた「市民的資本主義」のほうがむしろ特異といわねばならない。

確かに、宗教改革によって登場したプロテスタントが「西欧近代」の形成に果たした意味はきわめて大きかった。宗教は個人の内面的良心の問題となり、国家や政治的主権は個人の信条とは切り離された。それが、結果として、宗教から独立した自由・民主主義という、抽象的で普遍的な価値を可能にした。近代の民主的な政治体制は、多かれ少なかれ、宗教改革がなければ難しかっただろう。

また、神秘主義を排して合理的な信仰を唱えるプロテスタントの宗教精神は、科学や実証主義を可能としたし、合理的な利潤計算にもとづく生産経済は、富の蓄積と計算された投資による確かな経済成長を可能とした。だがしかし、繰り返すが、これらはすべてあくまで「西欧の近代」を特徴づけるものなのである。

したがって、その西欧社会が19世紀末の帝国主義から第一次世界大戦にいたる文化的な危機に陥り、その創造的なエネルギーを喪失すると、「西欧の近代的価値」も根底から批判にさらされる。

この「西欧の危機」のなかで、「西欧近代的なるもの」を引き継いだのがアメリカであり、ソ連であった。アメリカは、西欧の科学技術や自由主義、個人主義に依拠して経済発展をめざし、他方でソ連は、労働者による社会主義、計画主義による経済発展を掲げたわけである。

両者ともに西欧近代の啓蒙主義や合理主義の産物といってよい。しばしばフランス革命は、「自由主義」「社会主義」「保守主義」の三つの思想を生みだしたといわれるが、「保守主義」を欧州に残して、「自由主義」はアメリカへ、「社会主義」はソ連へ引き継がれたということである。

確かに、アメリカは、19世紀ヨーロッパの遺産のうち、自由主義的、個人主義的な近代化へと傾き、ソ連は、平等主義的、集団主義的な近代化へと傾斜した。そうだとすれば、冷戦とは、ヨーロッパ近代の価値観を踏襲した二つの大国の間に生まれた衝突であった。

第5節 ❖ 文明の「根源感情」

ヨーロッパの根源感情

アメリカとソ連の冷戦は、19世紀のヨーロッパの産物である。ともに、ヨーロッパの近代主義の双生児である。とはいえ、アメリカもソ連（ロシア）も、「西欧近代的なるもの」の単なる亜流ともいえない。それを、私は、暫定的（ざんていてき）に次のように考えておきたい。

20世紀の初頭、第一次世界大戦のすぐ後に発表された『西洋の没落』のなかで、著者オスヴァルト・シュペングラーは、あらゆる文明にはその根底に、その文明を支える「根源感情」があると語っている。

「根源感情」とは、私のいい方では、ある文明の風土的な「基層」をもとに、「深層」における歴史・文化・宗教から生まれる感情である。ある特有の「根源感情」が、その文明の奥底を流れ、それがまたその文明を展開する機動力になっている、とシュペングラーは考えた。そして、それぞれの「根源感情」を象徴的にあらわす表象がある。

彼によると、ギリシャ文明を象徴するのはアポロンである。では西欧文明を象徴する「根源感情」は何か。それは「ファウスト的」なものだと彼はいう。

ファウストの精神とは、ありとあらゆるものへの好奇心や冒険心に富み、万物を知り尽くし、かつ自らのものにしたいという貪欲な感情である。このファウストの精神が西欧に特有の壮大な建築や芸術や実験的な科学を生みだした。

オスヴァルト・シュペングラー
(写真提供：ユニフォトプレス)

ところが、そのファウスト的精神は悪魔メフィストフェレスに魅入られたかのように、次第にとどまるところを知らずに膨張し、西欧文化は、ついに第一次世界大戦に帰着して崩壊したのである。しかしながら、忘れてはならないのは、ファウストの背後には「神」がいたということである。

ここに私なりに付け加えるならば、西欧の好奇心や冒険心は、西欧のほとんどの国が海に面していることと関係しているのではないだろうか。地平線まで広がりゆく海の果てにあるものに彼らは惹かれる。見果てぬ先にあるものをみようとする。同じ精神が、やがて、地球を超えでて、この宇宙の果てに対する想像力を掻き立てる。この果てしなき探求の精神こそが西欧の本質であることを、たとえばポール・ヴァレリーは次のように述べている。

「あくなき貪欲、熾烈にして無私の好奇心、想像力と論理的厳密さの幸福な混合、悲観主義にならないある種の懐疑主義、諦念とは一線を画す神秘主義……そうしたものがヨーロッパ『魂』の最も深甚な力を発揮する特性になっている」（『精神の危機』岩波文庫）

ギリシャ文明は、確かに、抽象的な宇宙的思考や物性の本質論をもったが、基本的には、有限世界の内にあり、人間の経験の範囲で思考をめぐらせていた。

しかし、これと対比するなら、西欧文明は、ギリシャ文明の上に乗りながらも、無限なるものを想像し、無限に広がる抽象的な空間のイメージをもった。数学においてもギリシャでは人間の経験や視覚にもとづく幾何学が支配的であったが、西欧は抽象的で一般的な代数学を発展させた。

したがって、彼らは世界を一方で水平面への無限の拡大とみて、また同時に人間を天上の神や悪魔とも垂直面でつながった存在として了解し、その立体構造こそがヨーロッパの根源感情の底にある。

これに対して、基本的に海に開かれていないソ連／ロシアはあくまでも大地的である。大地に根差すといってもよいだろうし、大地に閉じ込められている、といってもよいかもしれない。ツンドラや森林に覆われたシベリアも、どこまでいっても延々と続く大地なのである。

ギリシャ正教会の後継であるロシア正教会も、個人主義的で内面の信仰を重視し、現世での合理的生活を説く西欧のプロテスタントとは異なり、ロシアの大地に根差した神に対する深い祈りとある種の神秘主義をもつ。

ドストエフスキーの作品には大地に平伏して神に祈る人々が登場するが、トルストイの農民主義にしても、人道的社会主義というよりも、まずはロシアの広大な大地という風土的条件によるところが大きいであろう。かくて、大地的なものと神の結びつきこそがロシアの根源感情ではなかろうか。この点は、また次章で述べよう。

アメリカの根源感情

さて、一方のアメリカも特異な国である。海の精神と大地の精神の両方を兼ね備えた多民族国家で、それをリベラルの理念でひとまとめにしようとする。リベラルは理想的な価値だとみなされただけではなく、それはアメリカ建国の理念であり、アメリカの根本的な伝統でもあった。いうまでもなく、「自由や民主主義という理念の共和国」がアメリカの公式的価値となる。これはアメリカの「表層価値」である。

しかし、「表層価値」の背後には「深層価値」がある。私にはアメリカは「理念の共和国」というよりも、より深いところでは、時には狂信的とも思える宗教運動や、たとえばトランプ支持に示される政治的熱狂やメシアニズム的なユートピア主義、宇宙への移住計画などという途方もない夢想を生みだす「ファンタジー（夢想的想像力）」を根底にもった国家であるようにみえる（この点についてはカート・アンダーセンが『ファンタジーランド』〈東洋経済新報社〉で述べている）。この無鉄砲なまでの想像力やカウボーイ的冒険精神が、アメリカの創造力の源泉にもなるのだ。

そもそも最初にアメリカに流れ着いた人々は、まったく見たこともない世界を開拓し、そこを自分たちの住処（すみか）にするという途方もない冒険的精神と夢想に取りつかれていた。それが、様々に形を変えて、アメリカの宗教運動や、フロンティア運動、それこそ本当に想像力の産物である壮大な映像（ハリウッド映画）を生み、核開発や宇宙開発など、絶えざる、とてつもないイノベーションを引き起こしてきたのである。「イノベーション」に対するほとんど熱狂的といいたくなる信奉ほどアメリカ的なものはないであろう。そこにアメリカの「根源感情」があるように思う。

しかしまた第二次世界大戦が終わってみれば、世界はアメリカとソ連の二極に分裂していた。そして興味深いことに、この両者はともに「連邦国家」であった。つまり西欧の近代を支えた「国民国家」ではない。

「連邦」の原理は、多様な民族や地域を同化し包摂（ほうせつ）する「拡張」の原理である。ソ連が社会主義という理念のもとに、東欧も含めて多様な民族や地域を包摂していったのに対して、アメリカは逆に、その建国からして複数の独立州を連合（ユナイテッド）した連邦国家を生みだした。異なった利害をもつ州をまとめたのは、「連邦共和国」という理念である。

そしてこの「連邦」という包摂の原理を拡張すれば、それは「世界連邦」ともなろう。そこまでいわずとも、「連邦の原理」は国民国家とは異なった「帝国」へと接近する。それは一種の空間的な普遍主義である。

つまるところ、アメリカとロシアは互いに「西欧近代的なるもの」の流れを継いでいるものの、土台となる根源感情は大きく異なる。と同時に、両者ともに「帝国的」要素を色濃くもっている。この異なった根源感情を有する両大国が、帝国的な拡大を続けるがゆえにいずれ衝突するのはひとつの宿命というほかあるまい。

近代思想の限界

ここで話は本章の冒頭に戻るが、以上に述べてきた背景をふまえると、ロシアがウクライナに侵略戦争を仕掛けたのは事実であり、容認できるものではないとしても、他方で現在の国際世界を善悪二元論で語るのはいかにも短絡的で、今後の秩序を考えるうえでも有用ではない。今回の戦争の背景の事情を知ることこそが重要なのである。

私はそれを、西欧が生みだした近代思想の限界として論じてきた。「主権を有する複数の国民国家体制」「勢力均衡による国際関係」「宗教と世俗秩序の分離」「主権国家の伝統と両立する自由や平等の原則」。こうした西欧近代の構想がグローバリズムの今日、うまく機能しない。主権国家による国民国家体制を作った西欧諸国でさえも、ＥＵというヨーロッパ

「連合（ユニオン）」を形成しているのである。

国民国家体制は帝国的膨張によって攪乱(かくらん)され、イスラム国家のような政教一致国家が出現する。グローバリズムとは世界を動かす巨大な金融資本と、普遍的価値を主張するネオコン型の歴史観を両輪として驀進(ばくしん)するシステムであるが、この方向指示器を失った飛行物体がわれわれをどこへ連れてゆくかは誰にも分からないというのが現状なのである。

今回のロシア・ウクライナ戦争をへて、世界はこれからどのような変化を迎えるだろうか。もしもロシアが事実上の敗北を喫するか、あるいはプーチンが失脚すれば、当面の間はフクヤマ的「歴史の終わり」の世界に近づくようにみえるかもしれない。各国は再びグローバリズムの夢のなかで経済成長を追い求めるであろう。

しかし、それは一時的なものに過ぎない。戦争の帰結がどうあれ、ロシアの鬱憤は溜まり続け、ウクライナも決して安定はしない。ウクライナが屈服して停戦になっても問題は何も解決せず、ウクライナの反露感情はますます高まる。欧米とロシアの間の亀裂はもはや修復しがたいものとなろう。

また、中国も欧米と異なる根源感情をもつ国であり、グローバリズムにとっての不安定要素である。仮に台湾有事となれば、アメリカはウクライナが侵攻されたときとは異なる対応を余儀なくされるだろう。

加えて、「トランプの復活」も考えられる。アメリカ中心主義のトランプがどのように「世界」と関わるのかはまったく予測不可能であるが、この予測不可能性こそ、トランプ待望を生みだしているのである。

結局のところ、各文明の根源感情を無視して、西側の普遍的価値によるグローバリズムを推進するには無理があるのだ。世界がそう単純な構造でできていないことはロシア・ウクライナ戦争で痛感したはずなのである。

その意味では、われわれは、面白い時代に生きているともいえる。表層にある「理想的な価値」は剝がれ落ちつつあり、それぞれの国や地域の利害によって世界は動揺させられるが、それを動かすものは何かといえば、深層にある無意識の宗教的なるものであり、また、「根源感情」なのである。

こう考えたとき、私には、「旧約聖書的思考」あるいは「一神教的思考」が、今日のグローバル世界の根底に流れていることが気になるのである。ロシア・ウクライナ戦争もまさにそのような「深層」をみておかないと理解できないのではないだろうか。そこで、次章では改めてこの戦争の意味を、「深層」まで辿って論じてみたい。

第4章

アメリカとロシアを動かすメシアニズム

第1節 ❖ 「文明」と「文化」の論理

シュペングラーの「予言」

今からほぼ100年前の1922年にドイツでオスヴァルト・シュペングラーの『西洋の没落』第2巻が出版された。第1巻は第一次世界大戦が終わった1918年の刊行である。

この書物でシュペングラーはこういうことをいっている。多様性を保持しつつ、しかも一定の統一をもった西ヨーロッパ（西欧）が生みだし、成熟させたその文化的産物は、いまや最高度の段階に達し一種の普遍性を獲得している。ところがまさにそれゆえ、西欧文化は衰退してゆく。

西欧文化の絢爛（けんらん）たる成果とは、何よりも合理的な科学と技術、産業と生産、貨幣による市場経済、都市的生活と大衆、民主的な政治などといった近代的価値観の普遍性にある。西欧という長い歴史と豊かな創造性をふんだんに盛り込んだ土壌にはぐくまれた文化は、その高度化の極みにいたって「普遍的なもの」となってゆく。

だからそれは必然的にヨーロッパの手を離れる。合理化され、客観化され、形式化され、土地や歴史や文化のもとを脱し、世界中へ伝播されるだろう。そのとき、それはもはや土壌の刻印を押された「文化」ではなく、特定の土地から離陸して世界へ飛翔する「文明」となる。

かくて「文化」と「文明」の違いは次のようになる。「文化」は、具体的な場所（大地）と時間（歴史）との深い結びつきのなかで試行錯誤を重ねながら、ちょうど土地を耕すように時間をかけて新たな作品を作りだす。それは、多面的で持続的かつ創造的なダイナミズムを有す。それに対して、「文明」はすでに「成ったもの」であり、その「成ったもの」の高度な応用であり拡張であり広範な伝播である。

「文化」には、大地や歴史を背負って何かをなそうとする生命力、あるいは「魂」が強く作用する。これに対し、「文明」にあるのは、普遍的合理性や整った抽象的形式であり、大地や歴史から遊離した形式的な理性のもつ広い世界性なのである。

たとえば、ガリレオが天動説を唱えたのは、あくまで中世キリスト教的な世界観のもとにおいてであった。ガリレオは、オランダから導入された最新式の望遠鏡からえられるデータと教会の天動説の矛盾に悩み、苦悩しつつ地動説に辿り着くが、教会による裁判にかけられる。こういう確執、葛藤、ためらい、妥協などを通じて、今日の天文学は作られてゆく。

また、ニュートンは万有引力をイギリス国教会のケンブリッジ大学、トリニティ（三位一体）学寮の低いりんごの木で思いついた。オカルト的傾向をもったこのキリスト教者は、万能の神の創った法則として「引力」は「万有」であると唱えたのである。また、20世紀になってアインシュタインは、相対性理論を生みだすが、それでも、「神はサイコロを振りたまわず」といって量子力学を認めなかった。

これらは、すべていかにもヨーロッパ文化が生みだしたものであろう。だが20世紀も半ばになると、それらはすべて天文学や物理学という標準的な「科学」となり、力学法則にせよ、相対性理論にせよ、教科書の標準的理論として誰もが学習できるようになる。理論が、数式と計量と抽象的思考におきかえられれば、もはや、ガリレオの苦闘も、ニュートンの異才も、アインシュタインの魅力あふれる天才も過ぎ去ったものとなる。これは「文化」の「文明化」である。

経済学も、もともとアダム・スミスがそのもとを築いたとされるが、これは、18世紀の変わりゆくイギリスの経済社会のなかで、イギリスの国富増強を論じたものであった。その後の、リカードもマルサスもマーシャルもケインズも、すべてイギリスの歴史と社会を前提にして経済について論じている。それが、20世紀の戦後、アメリカで「経済学」になったときには、経済現象の背後にある、たとえばイギリスやフランスといった独特の歴史や文化をすべて捨象（しゃしょう）した抽象理論になり、数式的に形式化される。確かに「文化」は「文明」になる。現代人は、それを知識の進化だと考えるが、果たしてそういえるのであろうか。

かくて、ヨーロッパは、その苦悩や葛藤や創造性によってきわめて高度な「文化」を生んだが、それは方法化され、技術化され、形式化されて普遍化されてゆく。

あらゆるものの技術的思考、数、統計、計量の重視、貨幣的価値への一元化、多数性の支配（大衆民主主義）、大都市化などは「文化」ではなく「文明」なのである。あらゆるものが、計量化され数値化され標準化されるために、相互に比較され、どちらのほうが成長率が高いだの、犯罪率が低いだのといった比較の対象になってしまうのだ。マルティン・ハイデガーは現代社会の特質として、「算定性」「迅速性」「大衆性」をあげているが、これもまた「文明」の特質である。

そして、シュペングラーは、「文明」の代表を、急激に勃興しつつあった二つの国家にみた。アメリカとソ連である。

この二つの国は、西欧が生みだした近代の成熟を引き受けた「文明」であった。特にアメリカはそうであろう。ソ連については少し留保が必要である。この点はまた後に述べることにしよう。

いずれにせよ、ここで確認しておきたいのは、世界史を大きく切り裂いた第一次世界大戦という断層をはさんで、向こう側には没落する「西欧文化」が立ちつくし、こちら側には、新しい「近代文明」の二つの実験国家が立ち上がってきた、ということである。

シュペングラーの「予言」通り、第一次世界大戦後の世界は、西欧が生みだした近代文明の時代となった。しかもそれは、二つの「文明」へと枝分かれした複数の近代である。ところが、この枝分かれは米ソ冷戦という深刻な亀裂を孕んでいた。亀裂を生みだしたものの一方は「自由と民主主義の共和国」と称し、他方は「労働者の共和国」を標榜する、ともに強力な理念（イデオロギー）を掲げた。

理念の脱場所性、脱歴史性は、またいいかえれば、汎場所性、汎歴史性でもある。特定の場所と歴史に拘束されないがゆえに、それはあらゆる場所と歴史を超えて普遍的とみなされる。それゆえ、アメリカの「自由・民主主義の理念」もソ連の「社会主義の理念」もきわめて広範な世界性を要求することとなる。

このことはまた次のことを意味していた。汎場所性と汎歴史性のゆえに、冷戦とは、米ソによる世界の制圧と歴史の制圧をめぐる戦いであった、ということだ。

それは、一方に、自由・民主主義・資本主義のアメリカニズムが立ち、他方に、マルクスを親権者にもつ共産主義が立つという、二つの理念による世界覇権をかけた争いであり、また、経済競争という富をめぐる世界戦争でもあった。この世界戦争を制する者が歴史を制するのである。歴史はそこで終わるからである。

だから、アメリカの「自由と民主主義の共和国」とソ連の「労働者の共和国」という宣伝に騙されてはならない。ともに、「共和国」というよりも「帝国」というほうがふさわしいからだ。一方は「自由と民主主義の帝国」であり、他方は「労働者の帝国（万国の労働者よ、団結せよ！）」であった。両者の衝突は二つの普遍主義の衝突である。

少なくとも、この二つの巨大な「共和国」は地球上の地図を塗りつぶすように自己を延長する。共和国を形作る「力」が、そのまま自らを外へ向けて展延して、「帝国」になる。

しかもアメリカもソ連もともに、建国そのものが人為的に作られた「連邦国家」であった。そのことを想起すれば、両者が「帝国」となるのも決して不思議なことではない。

アメリカは諸州を連合した国家である「合衆国」として独立したのであり、ソ連もまた諸国を連合させた「連邦」であった。

もちろん、両者の国家形成の意味は大きく異なっており、アメリカ独立革命とロシア革命を混同すれば読者の失笑を買うだけであろう。だが、このことにあえて注目するのにはそれなりの理由がある。

「連邦国家」の意味は、それが、多様な、しかももともとは相当にバラバラな要素を内に混在させている点にある。だからこそ、何らかの理念を掲げて、それによって「連合」しなければならないのである。いずれにせよ、かなり人為的に国家統一を確保しなければならない。

とすれば、多様なものを含むその理念や原理について普遍性を主張するほかない。そしてその結果、その原理を外に向けて拡張することが可能となるであろう。かくて、アメリカの「自由と民主主義」も、ソ連の「社会主義」も、世界へ向けた普遍的理念の優位性を競ったのである。

そしてまた、今日、ヨーロッパもEU（欧州連合）というゆるやかな「国家連合」を作っている。ではEUを統一する原理は何なのであろうか。いまのところ、それは自由・民主主義、法の支配といった「リベラルな価値」であり、それを共有してきた「共通の歴史」である。

とはいえ、その底にあるものを覗けば、キリスト教やそこからでてきた人道主義などがみえ隠れする。というのも、ヨーロッパの「共通の歴史」とは、まさに、キリスト教的精神を背景にした多様なドラマの歴史だからである。

それではなぜイギリスは脱退したのか。EUから脱退したイギリスは、19世紀の帝国の残滓を引き継いだ「連合王国」の夢から完全に覚醒したわけではないのである。王は今日でもかつてのいくつかの植民地に君臨している。だから、イギリスは「ヨーロッパ」という「連合」と「連合王国」という「連合」の二重性を帯びているのである。

また、ここで中国（中華人民共和国）をどうみるかという疑問もでてこよう。中国は、明らかに古代以来の「中華思想」をもっており、今日、「中華帝国」の様相を深めているが、それは本書の関心を超えた問題である。

ハンチントンの予測

ところで、冷戦を「理念（思想）」と「富（経済）」という二つの「世界性」をめぐる覇権争いだと捉えれば、まさに20世紀は、その二つの次元における「文明の没落」の時代であった。なぜなら20世紀の後半には、アメリカとソ連の冷戦は、へたをすれば世界の破滅へと突き進む核戦争の脅威を内包していたからである。

西欧文化は、自由や民主主義の政治思想や高度な科学を生みだしたが、20世紀に顕わになったその帰結が米ソ対立であり核開発だったとすれば、西欧文明の没落の予感もあながち誇張ではない。もし仮に米ソの核が爆発しておれば、近代文明どころか世界そのものの破局にまでいたったかもしれない。

しかしそれは回避された。冷戦の終結は、西側の勝利を決定づけた。西側とは、欧米とアメリカの同盟国を指す。それ以上でも以下でもない。もう少し限定して思想的にいえば、勝利したのは、自由・民主主義や人権、それに資本主義と市場競争などを掲げる欧米の近代主義の諸価値であった。少なくとも、それがアメリカの見解である。

とすれば、シュペングラーの「西洋の没落」は回避されたのではないのか。いやそれどころか、冷戦を仮に西欧近代思想の跡目争いだとすれば、これは決着したのではないか。

遺産相続をめぐる兄弟げんかは、比較的良識的で穏健な兄が、過激で無分別な弟を打ち負かしたのではないか。近代市民社会に歴史の最終章をみるヘーゲルが、共産主義革命まで戦い続けると豪語するマルクスを打ち破ったのではないか。これはまさに西欧啓蒙主義の勝利である。それでよいではないか。

ところが、冷戦後の１９９３年に論文「文明の衝突?」（１９９６年に『文明の衝突と世界秩序の再構築』として刊行）を発表したサミュエル・ハンチントンは、まさにその冷戦終結後に「西洋は没落する」と主張したのである。

第一次世界大戦後、戦争によって瓦礫（がれき）の山を築いた西欧にかわり、歴史のなかに巨大な鎌首をもち上げつつあった米ソ二大大国をみながら、シュペングラーは、西洋文明の没落を予感していた。そしてその70年後、今度は、その米ソ冷戦の幕引きをみつつ、ハンチントンは改めて西洋文明の没落を予言していたことになる。

ハンチントンの予言はかなり皮肉な響きを帯びていた。なぜなら、自由・民主主義・資本主義など西欧近代の価値は勝利したが、困ったことに、その勝利こそが、もはやこの価値に、人の心を燃え上がらせるような大きな意味を与えなくなってしまうのである。いやそれどころか、この一見、普遍性を獲得したかにみえる近代的価値こそが新たな衝突の火種になりかねない、というのだ。

ヘーゲルは、世界史とは、理性の力によって、人間が意識的に世界を変革し、歴史を作りだしてゆく過程とみなしていた。理性的なるものの世界化・現実化である。別のいい方をすれば、人間の歴史は「自由」を求める闘争にほかならない。これは大事な論点であった。「自由」の希求とは、人が、自己以外の何ものかに従属することなく、その存在の意味を自ら強く意識し、それを他者にも承認される、ということでもある。「承認欲求」である。

先にも触れたが、この「自由」および「承認」を求める戦いこそが、真に人を動かし、それが歴史を作ってきた。そのためには人は死を恐れない。自由や自尊とは、人が自らの命を惜しまない大きな魅力をもった価値なのである。大事なのは、自由であること、いいかえれば、奴隷であることを拒否し、己の尊厳を守ること、そのためには命を投げだしてもよい、というのである。

確かに、西欧の近代文明は、絶対王政や専制君主との闘争のあげくに「自由」や「平等」をそれなりに実現した。人権思想も富の増大を可能とする生産体制も実現した。だがその結果、生命以上の価値を失ってしまったのである。人が生命を賭して実現しようとする至高の価値をもてなくなったのである。そこに「西洋の没落」がある。

西欧が掲げた、かつて人々を熱病のように惹きつけた至高の価値はもはや歴史を動かす魅力をもたない。政治哲学者のハンナ・アレントは、フランス革命をアメリカ独立革命と比較するなかで、フランス革命は失敗した革命だと述べたが、もしそうだとしても、西欧ではあの狂気にまでいたるような熱狂はもう生じない。西欧近代とは、市民社会の勝利であると同時に、壮大なニヒリズムをもたらしたのである。

人々は、己の存在を賭してまで何かを実現するという生命力に満ちた躍動性を失ってしまう。ニヒリズムがひたひたと近代文明を蝕(むしば)んでゆく。自由と平等という理想が人々に生命を与え、生の目的と死の意味づけさえ与える歴史は、まさしくヨーロッパの「文化」にほかならなかった。しかし、それが、一定程度実現し、政治思想のなかに普遍的なものとして、教科書に書かれた知識になってしまうと、自由からも平等からも人を鼓舞するエネルギーは失われてゆく。それは普遍的で形式的でさして新鮮味のない「文明」となるのである。

こうした近代文明の極致にあって、冷戦に疲弊したアメリカや西欧は経済的な競争力を失い、文化的な影響力を喪失し、自由・民主主義・公正な市場競争といった「普遍的価値」によって他国を説得し牽引する力も失った。先進国の経済成長率は軒並み低下し、欧米の民主政治は移民問題に翻弄(ほんろう)され、アメリカ自身が、自由貿易や公正な市場経済を放棄している。若者のポップカルチャーの中心はアジアへと移り変わったのである。

これでは、非西欧圏が西欧文化や欧米の政治経済を模範にする理由はない。グローバリズムの理想へ向けたアメリカの夢想は永遠に見果てぬ夢に終わるであろう。それにもかかわらず、西欧発の「リベラルな価値」を看板にした世界秩序構想に頼るほか、「グローバリズム」を支える思想はないのである。グローバリズムは現実であるが、その価値観は宙に浮いた蜃気楼（しんきろう）のようなものになりつつある。

第2節 ❖ 西欧文明とスラブ文明の軋轢

「西欧かぶれ」こそ悪の根源

その結果、どうなるか。前節で述べたように、ハンチントンに従えば、非西洋諸国や地域は、容易には西欧発の近代的価値の信奉者とはならない。それにかわって、彼らは、自らの歴史的・文化的アイデンティティへと回帰するだろう。「命を懸ける」ものがあるとすれば、それは、ほとんど自己と同一化された集団を支える文化や宗教的な信条であろう。

考えてみれば皮肉な話である。ヘーゲルは、何ものにも服従しない「自由」の追求こそが西欧思想の中核をなしていると考えた。その場合、「自由」には二つの意味がある。ひとつは、いくぶん抽象的な「人間のもつ根源的な自由」であり、もうひとつは、より具体的な自由、たとえば「民族自決」である。自己の確かなアイデンティティの追求であり、宗教はその重要な要素となる。

「宗教的な信条」こそが人々を動かす。第3章での表現を使えば、本当に人を動かすものは、「深層の価値」なのである。かくて、冷戦後の世界は、西欧の近代的価値の世界化どころか、複数の「文明」の時代になる、というのである。

念のために注意しておくが、ハンチントンのいう「文明圏」は、ほぼ同様の「文化」をもつ地域や社会を最大限大きくとった単位をいう。それは、シュペングラーがいう「文化」と「文明」の対立、といったときの「文明」とは異なっている。私のいい方でいえば、むしろ「文化圏」といったほうがよいであろう。シュペングラーや本書の用語でいえば、人間の意識の「深層」にある「歴史的・文化的な深層価値」を共有する地域なのである。このことを注意しておいてもらいたい。

いずれにせよ、文明（文化圏）への回帰、これがハンチントンの見立てであった。

確かに、非西欧世界も近代化を求めるだろう。しかしそれは西欧化ではない。彼らは近代化は進めるが西欧化や西欧文化は拒否する。

非西欧世界にとっては、政教分離、価値相対主義、道徳の崩壊、個人主義こそが西欧文化の帰結なのである。非西欧世界にとっては、それこそが、自らの文化を内から蝕んでゆく。

だから「西欧かぶれ」こそ拒否しなければならない悪の根源である。彼らにとっては、普遍主義とは、西欧世界が非西欧文明に立ち向かうために生みだした西欧イデオロギーにほかならないと思われるだろう。

周知のように、ハンチントンは、冷戦後に改めて世界史のなかに登場し、時には衝突を起こす主要な文明圏として、西欧文明（欧米キリスト教）、中国文明（儒教）、イスラム文明（イスラム教）、スラブ文明（ロシア正教）、インド文明（ヒンズー教）などをあげているが、冷戦後の紛争や衝突は、主として、これらの文明の境界（フォルトライン）で生じる、という。

むろん、文明の境界は、必ずしも、国家の境界に引かれているものではない。ひとつの国家内部にあっても分断は生じ、そこで文明の衝突は起こりうるだろう。いやそのほうが多いかもしれない。「衝突」といういい方が強すぎるなら、「葛藤」や「確執」や「紛争」といえばよい。それはいくらでも起きるであろう。

さて、このハンチントン説には多くの疑義も呈せられてきたし、文明の衝突論が、冷戦後の世界秩序（あるいは、世界の混乱）の説明として万全なわけでもない。宗教への過剰な言及、国家利益や戦略の軽視、経済的つながりの軽視など、いくらでも疑問はでてくる。

にもかかわらず、ハンチントン説を改めて想起したいのは、次のような事情があるからだ。それは、冷戦後約30年をへて明らかとなってきたのは、アメリカ主導のグローバリズムの失効という事実であり、それを率いていた西欧近代の「普遍的価値」というイデオロギーが今日、剝がれ落ちようとしているからである。

シュペングラーのようないい方を借りれば、西欧近代が形成した「リベラルな価値」は、グローバリズムとともに、具体的な内実を欠落した形式と化し、便利な方法となって世界へ輸出されるが、そのためにそれを生みだした文化的な生命力を失い、いわば、教科書に書かれた正解のような抽象的正義となってしまった。「文化」は「文明」になってしまったのである。

だが欧米、特にアメリカはこの価値の普遍性を掲げて世界秩序の原理にしようとする。そのとき、非西欧世界からすれば、それは西欧やアメリカによる非西欧世界への新たな圧迫と感じられるであろう。

かくて、グローバリズムの表層を覆う、西欧近代の普遍的価値が徐々に剝がれ落ち、その背後から、集団の自己イメージにいっそう寄り添い、歴史的コンテクストや文化的な基底や精神的な思考の伝統に密着した価値が徐々に立ち現れてくるであろう。無意識の「文化的・精神的深層」がせせりでてくる。

80年代あたりから顕著になる世界的な宗教復興が、いくぶんそのことを裏付けている。中東や東南アジアでのイスラム主義の台頭、ロシアでの正教会の影響力、それにアメリカにおける福音派を中心としたキリスト教原理主義の復興があり、冷戦以降になると、西欧の政治思想の文脈でも、現代社会を論じるうえで「脱世俗化」つまり「再宗教化」が重要な論点となってくる。今日では、たとえば戦後の近代主義のチャンピオンのようなドイツの哲学者ユルゲン・ハバーマスでさえも、いくぶん口ごもりながらも宗教を無視しえないと述べるのである（特にアメリカにおける宗教復興については、藤本龍児『「ポスト・アメリカニズム」の世紀』〈筑摩書房〉参照）。

考えてみれば、この広い世界にあって、脱宗教化し、政教分離を打ち立て、宗教的なるものの影響を排除した世俗国家など限られている。大半の国や地域は、どこかに宗教を保持し続けている。宗教に限定する必要はないとしても、歴史的に維持されてきた精神的価値、超自然的で神的な思考様式、死後の観念、アニミズム的自然観、文化に固有の世界観や歴史観。こういうものが、自由や民主主義や公正な市場競争の背後から姿を現す。

ウェーバーのいう「脱魔術化」どころか「再魔術化」とでもいいたくなるのである。今日の「文明」の表皮である「近代」の層を剝いでみると、その背後には「文化」の層がでてくる。歴史は、過去を捨て去って直線的に未来へ延びるのではなく、重層化された過去と現在を往来しつつ時を進めてゆくのである。

今日のロシア・ウクライナ戦争も、このような文脈において捉えてみたい。繰り返すが、戦争を、自由・民主主義vs.権威主義とみるのは、表層的な見方だと思う。冷戦以後の紛争や対立は、確かにいくつかの要素が複合した形で生じるが、それを、私はできるだけ深層まで降りて論じたいのである。

われわれ日本人は、明治の近代化以来、歴史を、つい「野蛮」から「文明」への進歩として論じたくなるのであろう。日本からすれば、西洋は「文明」であった。「文明」は普遍的価値とルールをもつ。この普遍的価値とルールの侵犯者は「野蛮」になる。

しかし、この「文明」対「野蛮」という実に単純化された図式こそがむしろ「野蛮」というべきではなかろうか。それこそ西欧啓蒙主義の通俗化であり、それこそが西欧文明の優位を唱える俗流の決まり文句であろう。それが19世紀には西欧による植民地主義や帝国主義をもたらし、20世紀の二つの大戦へとアメリカを引き込み、戦後には冷戦を特徴づけ、さらに冷戦後には、イスラム主義のテロやイラクへのアメリカの攻撃を正当化したのであった。その矛先（ほこさき）が、今日では、プーチンのロシアという「野蛮」へと向けられているわけだ。

だが、問題は「文明」対「野蛮」ではない。もちろん、現実には国際法違反は非難されるべきだし、非人道的行為は裁かれるべきである。しかし、それは「文明」と「野蛮」の対立ではない。仮に「文明」を標榜する側からみて「野蛮」だとしても、その背景をなしている諸文化がもつ世界観、自然観、死生観、歴史観といった「潜在的価値」へと視野を広げないと、この戦争の文明論的な意義は捉えきれないのではなかろうか。

二つの文明の「フォルトライン」が走るウクライナ

ところでハンチントンは、『文明の衝突』のなかで、ロシアとウクライナの衝突の可能性について論じている。西欧文明とスラブ文明のフォルトラインにウクライナが位置する以上、ウクライナが文明の衝突の舞台となる可能性は十分にあるからだ。ＥＵの形成やＮＡＴＯの拡張によって、西欧文明とスラブ文明の軋轢（あつれき）はますます高まるからである。

ハンチントンは、ロシア・ウクライナの紛争を予感しつつも、結局、戦争は生じないだろうと述べている。むしろ、ウクライナ内部における分裂の可能性を示唆（しさ）している。

それは、ウクライナには、文化的に西欧に接近しつつ宗教的にはギリシャ正教に属する西部と、モスクワのロシア正教会に属するロシア系の東部との間に若干の文化的な相違があり、その間の分断を無視しえないからだ。

つまり、ウクライナの真ん中を北から南へとフォルトラインが走っている。実際、17世紀から18世紀にかけてウクライナ西部はカトリックのポーランドに占領されていた。その前から、ウクライナの正教会は、リトアニアのカトリック、ポーランドのイエズス会から強い圧力を受けていた。

その結果、ウクライナの正教会は、正教会の儀式・典礼は維持しつつも、ローマ教皇権を承認することとなる。ここに、正教とカトリックを折衷（せっちゅう）したようなウクライナの「ギリシャ・カトリック教会」が誕生する。もちろん、これは、ロシアのロシア正教会とは異なったものであり、ウクライナの本来の正教会からしても奇異なものであった（ウクライナ正教会の歴史的経緯と、そのロシア正教会との関係については、角茂樹『ウクライナ侵攻とロシア正教会』〈KAWADE夢新書〉参照）。

いずれにせよ、大事なことは、ウクライナの真ん中に、西側のカトリックの影響を残した地域と、東側のロシア正教の影響を残した地域ができてしまうということだ。そこにフォルトラインが生じるとすれば、それもまたハンチントンのいう「文明の衝突」というべきであろう。

したがって、西欧文明圏とスラブ文明圏、そしてイスラム文明圏の境界線は実際にはいまだに確定していないのである。

確かに、ヨーロッパの終わりはどこかといえば、西欧のキリスト教国家が終わり、東方正教会やイスラム教国家が始まるところ、ということにはなろう。だが、その境界はEUやNATOとは一致せず、また、境界付近に、東欧諸国、バルト三国、スウェーデンやフィンランド、バルカン諸国、それにトルコがのっている。いずれにせよ、この境界面が不安定であることは間違いない。

したがって、もしも、西欧がNATOの加盟国をあくまで西欧型のキリスト教国に限定すれば、もちろん、ウクライナもベラルーシも除外される。セルビア（スラブ系）も除外される。そうすれば、NATOの拡大は東方正教会までは及ばずに、スラブ文明圏はロシアを中核国として一定のまとまりをもつだろう。だが、現実にはその境界は確定されていないのである。

ロシアのウクライナ侵攻は、表面的にみれば、ハンチントンの予測の誤りであった。だが、この戦争は、ただロシアとウクライナの戦争ではない。背景にあるのは、西欧とロシアの歴史的な確執であり、両者の間で揺れ動くウクライナという国家の特異性であった。

スラブ文明圏の始まりは、もとをただせば９世紀のキーウ（キエフ）を中心とした「キーウ・ルーシ公国」の成立にあり、さらに９８８年に、ウラジミール大公が、クリミアの地でギリシャ正教会の洗礼を受けることで、ここにウクライナの正教会が誕生した。しかも、角によれば、ウクライナとロシアの正教会の起源は、イエスの12人の弟子の一人であるアンドレアが、キーウの丘に十字架をたてたところから発する、とされている。

これは一種の神聖な物語であるとしても、もしイエスの弟子が十字架をたてた場所に正教会があれば、キーウの正教会は、キリスト教世界のなかでもきわめて特権的な位置を占めることになろう。キーウによってロシア正教会は大いなる正統性を確保できる。これが、モスクワの総主教がキーウの教会に固執するひとつの理由でもある、と角は述べている。

私にはこのあたりのことはよく分からないが、幾分でもそのような要因があるとすれば、ウクライナとロシアの間にある宗教意識の違いは、われわれの想像以上に大きいのかもしれない。そうだとすれば、ハンチントンの予測ははずれたどころか、的中したとさえいえるであろう。決して、「文明」対「野蛮」というような図式で了解できるものではない。

ハンチントンが述べるように、ロシアは、西欧文明の基本を形作る歴史的経緯とは無関係な時間を過ごしてきたのである。西欧を特徴づける、ローマ・カトリック、封建制、ルネサンス、宗教改革、海外進出（地理上の発見）、啓蒙運動、国民国家形成などとまったく無縁であった。それゆえ、政教分離、法の支配、社会的多元性、議会政治、個人主義などの価値観はロシアからはほぼ欠落している。

確かに、17世紀に登場したピョートル大帝は西欧化路線をとり、西欧文明を摂取して、海軍の創設などロシア軍隊の強化をはかり、社会の近代化を進め、西欧列強と並ぶ大国を作り上げようとした。日本の明治政府も後に同様の試みをした。

ピョートル大帝がモスクワからサンクト・ペテルブルクに遷都したのも、バルト海に面した西欧へと開かれた都市を築くためであった。ペテルブルクという名前そのものがドイツ語からきているのである。スラブを象徴するモスクワに対して、サンクト・ペテルブルクは、西欧へ向けて文明開化した新しいロシアの象徴であった。

ピョートル大帝はまた、正教会を皇帝権力のもとにおき、きわめて強い皇帝権力と西欧的な官僚制のもとで、ツァーリズムによる中央集権的権力を確立した。その結果、彼の欧化政策は、アジア的、ビザンチウム的、ロシア正教会的な古い習慣をもつ庶民層との間に大きな亀裂を生みだしたのであり、ある意味で、それがロシア革命のもつ二面性にまで影響を及ぼしている。

ハンチントンの適切ないい方を借りれば、ボルシェビキの革命は、「西欧には存在しない政治・経済制度を、西欧で作られたイデオロギーのもとに創設した」ものであった。だから、ロシア革命は、ロシアにあった歴史的な確執、つまり、欧化主義とスラブ主義の対立を実にうまく止揚(しよう)してしまったことになる。「革命によってロシアは西欧を飛び越してしまった」からである。

かつての欧化主義者とスラブ主義者の対立は、いずれの側も、ロシアは西欧の後塵を拝しているという劣等意識と一体であった。ところが、共産主義理論と社会主義革命という西欧思想の最先端を取り入れ、しかもそれを現実化するという驚異によって、スラブこそが世界史の最前線に飛びだしたのである。

その頃、マルクスが生みだした共産主義という思想は世界史の最前線であった。それがマルクスの述べたように普遍的な歴史法則だとすれば、世界史を主導するのはロシアなのである。スラブ民族こそが、歴史を先導することになるのだ。

これは、ロシア人にとっては、おおいなる誇りであり途方もない熱狂にほかならない。共産主義の実現が歴史の最終目的だとすれば、ロシアは世界史を完成させることとなる。歴史は終わる。こうして、奇妙な、しかし、たいへんに興味深いことがここで起きる。ここに帝政ロシアの昔から、ロシア精神の隠れた水脈を作ってきたキリスト教的な終末論が、共産主義という神なき世界の建設においてよみがえったのである。

第3節 ❖ ロシア的な憂鬱

自然と人間の魂の血のつながり

ところで、前章でも述べたが、シュペングラーは、歴史上の文明には、その文明を特徴づける「根源感情」があり、それを象徴するものがあるという。

古代ギリシャ文明を特徴づけるものは明晰で調和のとれたアポロン的精神であり、西欧文明を特徴づけるものは、未知なるものを求め、万象を知り尽くし、生の可能性をあますところなく享受するというファウスト的精神だという。この果てしない欲望にこそ西欧の「根源感情」があるというのだ。

もちろん、「根源感情」という概念は、科学的でもなければ正確に定義できるものでもない。曖昧ないい方でしかない。まったく学術用語にはならない。またその内容も何かひとつに限定されるものでもない。

しかし、あえてひとつの文明をひとつの言葉で象徴させるというこのやり方は、ある意味では、その文明の本質を印象的に取りだすことにもなりうる。そこで、改めてロシアの根源感情について考えてみたい。

若いときにロシア文学に傾倒していた井筒俊彦は、戦後しばらくたって書かれた『ロシア的人間』（1953年）において、それをまずは、「ロシア的現象としての混沌」に求めている。

この根源感情は、人間的な営為のすべてを飲み込む「原初的自然」である。すべては大自然、母なる大地へとつながっており、人間の営みも文化も原初的な自然から切り離すことはできない。それは、人間と自然を分離し、自然を人間という主体に従属するものとみなす西欧の知性的な文化と対極にあった。

「ロシア人にあっては、自然と人間の魂の間には血のつながりがある」のだ。このつながりがなければロシア人ではない。そしてそこに、自然を対象化し合理的に理解しようとする西欧文化に対する強い反発も生まれるのであろう。

だが、この根源的な自然にまで降りて人間性をみるとは、その根源にほとんど理解不能な深く暗い闇をみることでもあろう。そこにロシア独特の「陰鬱」や「憂鬱」が立ち現れる。ドストエフスキーの『地下生活者の手記』のように、地下室の真っ暗な闇、病的な陰鬱さのさなかをロシア的精神はあてどなくさまようことになる。

それゆえ、ロシアの「憂鬱」は、たとえばパリにいたボードレールのように文明化された都市的人間を襲う憂鬱とはまったく違っており、深い根源的な原始性から直接漂ってくる、人間存在そのものを襲う憂鬱であった。

だからこそ、逆にまたこの陰鬱な原始の森からの全面的な解放をロシア人は求める。そこに「自由への熱狂的な情熱」がでてくる。それは、西欧近代思想が理性の旗のもとに掲げた「自由への平等な権利」や「幸福追求の権利」などというものとはまったく違っている。自由と解放は、地下生活者が逆説において求める狂気というべきものであろう。それはロシア流の「革命の精神」なのである。

ロシア革命に潜む宗教意識

ロシア史をざっと眺めれば、ロシア的な憂鬱は、実に歴史的背景をもっていることがよく分かる。それはまずは何より、その地理的条件をみれば一目瞭然だろう。

時代区分を無視して大雑把にいえば、ロシアの東には、13世紀から17世紀初頭まで巨大帝国を作った騎馬民族のモンゴル帝国がある。西には、反宗教改革の戦闘教団というべきイエズス会のカトリック大国ポーランド王国と、13世紀以来のローマ・カトリック大国リトアニア大公国がある。その北方にはドイツ騎士団がいすわり、大国スウェーデン王国がかまえている。ポーランド王国の背後に神聖ローマ帝国、後にはプロシアが控え、その南にはハンガリー王国とその後続であるオーストリア・ハンガリー帝国が横たわる。さらに南にいけば、イスラム教のオスマン帝国が陣取っている。

実際、13世紀から始まったモンゴル支配と時を同じくして、西のリトアニア大公国が、現在のウクライナ、ベラルーシからロシア西部に侵入し、14世紀にはこの地域を支配する。また、バルト海沿岸には、スウェーデン王国とドイツ騎士団が控え、海へのルートを確保したいロシアはこれらの国々とも戦わねばならなかった。

17世紀にはポーランドとの間に13年におよぶ戦争があり、18世紀に入るや、ピョートル大帝のもとで、ロシアはスウェーデンとの大戦を経験する。この戦争に勝利してバルト海沿岸は手に入れたものの、次は南方である。スウェーデンとの戦争の後、18世紀を通じてトルコと戦い（露土戦争）、19世紀になると、クリミア戦争があり、また露土戦争が勃発する。ことほどさように、ロシアの歴史は、周辺の大国との戦争の連続であった。

長い間、これだけの巨大帝国、強国にはさまれた、国境が決して確定しない不安定な国家がロシアなのであった。だから、ロシア人の心の内には、常に周辺に脅かされるという底知れぬ恐れと、それに耐え忍ぶ途方もない忍耐力と、いっきに形勢逆転をはかる軍事力を手に入れ、勢力を拡張するという「力への意思」というようなものがあっても不思議ではない。

ロシア正教会は、基本的に、ロシアを守る戦争には好意的である。決して平和主義ではない。兵士も武器も神によって祝福されると考える。その延長で、ロシア正教会は、ロシア防衛のための核兵器の使用を認めているのである（角、前掲書参照）。

そして、これはロシア人の一般的な気分の、少なくともある部分を示しているようである。それを亀山陽司は次のように述べている（『地政学と歴史で読み解くロシアの行動原理』〈ＰＨＰ新書〉参照）。

「ロシアにとって戦争とは、単なる防衛でもなく、単なる侵略でもない。それは巨大な『祝祭』であり、国民によって何度も追体験されるべき歴史的記念碑である」

戦争は「祝祭」のごときものだ、というのは面白い表現だろう。私はつい、あのチャイコフスキーの「序曲１８１２年」を思いだしてしまうが、これなどまさに戦争を祝祭として描いたかのように聞こえる。確かに列挙するのも面倒なほど、ロシアの歴史は対外的な戦争の連続であった。そして、19もの「軍事的栄光の日」が法的に定められているそうである（亀山、前掲書参照）。

本書は、ロシアの歴史を論じるものではないのだが、「ロシア的なもの」についての最低限のイメージを得たいので、必要な限りでその歴史をざっと振り返っておこう。

ロシアの中心となるモスクワ公国は、１２３０年前後のモンゴル・タタールによる侵略以来、モンゴルの支配に苦しめられたが、その支配から解放されるのは１４８０年、イワン３世によってであった。

しかも1453年、ローマ教会から分かれた東方正教会の聖地コンスタンティノープルを首都とするビザンチン帝国は、イスラム国家オスマン帝国に滅ぼされるが、イワン3世はそのビザンチン帝国最後の皇帝コンスタンティヌス11世の姪（めい）を妻に迎える。このことは、モスクワ公国こそが、ビザンチン帝国の正統な後継者であるという自負を人々に与え、やがてモスクワは「第三のローマ」を自認するようになる。

こうして、15世紀に、ロシアはようやくモンゴル支配から脱し、強力な皇帝に率いられた国家を確立するとともに、ビザンチン帝国の継承者として、その国家の正統性を主張することになる。イワン4世は雷帝と呼ばれ、はじめてツァーリを名乗ることとなった。

ビザンチン帝国の後継者であるということはまた、東方正教会の正統な後継者を意味していた。キリスト教の正統をロシアが引き継ぐというのである。かくて、モスクワ公国は、皇帝の世俗権力と教会の宗教的権威の両者を結合した国家として登場することになる。

ただ、そのことの意味を、廣岡正久は次のように表現している（『ロシア正教の千年』講談社学術文庫）。

「『第三のローマ』の観念は、ビザンチン帝国の滅亡によって精神的孤立に陥ったロシアの不安と、ビザンチン帝国の正統的な後継者をもって任じたロシアの自負心とが交錯する、当時のロシア人の複雑な心理状態を表現するものであった」

ついでながら、もともとロシアの中心であり、ウラジミール大公がキリスト教をもち込んだウクライナはどうなっていたかというと、モンゴル・タタールの撤退の後に侵入してきたポーランドとリトアニアに支配されることとなる。特にリトアニア大公国は現在のウクライナ東部をほぼ手中にし、このことが、先にも述べたように、ウクライナの内部に大きな文明的な裂け目を与えることになるのであった。

ロシアには「宇宙論的認識」があった

それにしても、イワン3世、4世によるモスクワ公国の成立において、「精神的孤立に陥ったロシアの不安」と「ビザンチン帝国の後継者を自認する自負」が交錯するという廣岡の指摘は面白い。

たえず付きまとう「孤立への不安」と「権威づけによる自負」の交錯、その結果、どこまでも続く不安を払拭するために、一方で皇帝による絶対的権力をとことん強大化し、同時に、そのことをまた正当化するために宗教的権威を高揚するという両輪が、ロシアという国を特徴づけているのであろう。

もちろん、キリスト教では「神」と「人」は違う。「人」は「神」にはなれない。ところが、イエスは「神」であり「人」である。三位一体説では、イエスは神性と人性をもっている。「神」が「人」となってこの現実世界へとやってきた。とすれば、「人」は深い信仰をもち、最大限の努力をして「神」に近づくことはできよう。いやそうすべきである。それを「テオーシス（神成）」といい、この思想は、とりわけ正教会では重視された（この点については、三浦清美『ロシアの思考回路』〈扶桑社新書〉参照）。

ロシア正教会にももちろん、このような「テオーシス」思想があった。つまり、普通の人でも神に近づくことができるのである。このような信仰を背後におきながら、一種の宗教的超人思想が、正教会と皇帝権力を結びつけ、そこに宗教的権威に支えられた絶対的権力が作りだされたとしても不思議ではない。

この種の聖俗一体は、西へと向かったローマ・カトリックからは決して生まれなかった。ロシアの徹底した政治と宗教の一体化は、ロシア正教会の独特の性格とも関係しているのであろう。西欧へと移植されたローマ・カトリックが、国境を越えた普遍性をもったのに対し、東方正教会は、基本的にそれぞれの国家の内に留まった。

だから、東方正教会は、ロシアのみならず、ギリシャ、ルーマニア、ブルガリア、セルビア、エチオピア等々、各国家の国境の内側にそれぞれ独自の教会をもつ。かくて、ロシア正教会はあくまでロシアの土地に根を下ろしたのであり、ロシアの宗教的精神は、この国独特の風土的条件、歴史と文化がもたらすロシア的なものと深く結びついたものであった。

その理由はいくつかあるが、第一に、言語の問題がある。聖書はもともと、ヘブライ語、ギリシャ語、ラテン語で書かれていたが、ロシア正教会ではスラブ語に訳されて使用されたため、スラブ語圏の外へは広がらなかった。第二に、ロシア正教会は皇帝権力と強く結びついたために、宗教そのものがナショナリズムの表出になった。そして第三に、ロシア人の精神の根底にある、ロシアの大地、自然と魂の一体感が、ロシアの宗教に強い土着性を与え、またそれを霊的な神秘性と結びつけることとなった。

この大地、自然、人間の魂の一体感が生みだす、神秘性を存分に含みもった、いっさいが融合したような境地は、ロシアに特有の宗教的境地であろう。井筒俊彦のいうような「ロシア的現象」の宗教的表出である。

それは、芸術であれ、哲学であれ、思想であれ、表現そのものをあたかも信仰告白のごときものにしてしまう。だから、ロシア正教においては、壮麗な教会、厳粛な儀式、秘跡、種々のイコン、特に絵画や塑像や音楽などを駆使した見事な典礼儀式が生みだされてきた。

廣岡正久によると、ロシア人の「民族的性格」（根源感情）をあえて特徴づけると、それは芸術的センスや情感にあふれたきわめて「宗教的な民族」だという。

彼らは神秘主義を好み、ロシア精神の「全一性」を信じるのである。ロシアの哲学者ニコライ・ベルジャーエフは、ロシアは、信・望・愛というキリスト教の意味において宗教的にのみ理解できるという（廣岡、前掲書参照）。

この「宗教的な民族」という性格は、ビザンチン帝国の後継者であり、キリスト教の正統な後継者であるとする「第三のローマ」論が、『ヨハネ黙示録』の救済預言からとられていることからもうなずけるだろう。

これは、三浦が述べていることだが、「第三のローマ」を説いた16世紀前半の修道士フィロフェイは、「永遠のローマ」がコンスタンティノープルをへてモスクワへと遷移されるという思想を『ダニエル書』からとり、その内容を『ヨハネ黙示録』によって色づけた。キリスト教の教会は、最後にロシアに逃げ込んだ。そして、すべての後に、神の救済の恩寵が照り輝く聖なる普遍的使徒的東方教会がここで輝いている、という。

ロシア的な終末論といってよいだろう。ここには、『ヨハネ黙示録』にあるような「宇宙論的な世界認識」があった、と三浦はいう。そして、そのことの意味は次のようになる。

「この宇宙論的認識に背中を押されるかのように、16世紀後半以降の新しい時代に、ロシアはシベリアへ、南ロシアへ、西方へと版図を広げ、世界帝国に成長していく」

ロシアの膨張主義をすべてロシア正教で説明することは無謀だとしても、少なくともそれを後押ししたのは、ロシアに特有の宗教意識であった。

しかも重要なことに、これはロシアに限るものではなく、キリスト教という宗教のもつ根本的な性格、つまり、キリスト教の信仰生活はひとつの「正義」の実践である、という「キリスト教の正義」に根差すものであった。

確かに、大航海に乗りだす西欧世界の拡張と、シベリア獲得に乗り出すロシア世界の拡張は時代的にほとんど重なるが、それを単なる偶然とは考えにくい。そこには、キリスト教の神の恩寵をできるだけ世界へと広げようという宗教的意思があったのであろう。ともにヨーロッパ世界の東西の辺境に位置する、スペイン帝国とロシア帝国（モスクワ公国）の間には奇妙な同時性があったといえるのかもしれない。

終末への熱狂

さて、私は、第1章でも述べたように、ユダヤ・キリスト教のひとつの特徴に、絶対神的観念と結びついた独特の歴史観があると考えたいのである。それは、いずれ神は、信仰深い苦難の民を救済するという一種のユートピア的な歴史意識である。そして、『旧約聖書』にあるように、それは預言者によってすでに告げられていた。

イエスを神であり人だとするキリスト教と、イエスを決して神とは認めないユダヤ教の間では救済の意味は同じではないとしても、そのいずれもが、終末論的な救済史観をもっている点では共通していた。メシアニズムである。

このメシアニズムは、イスラエルの民が「抑圧された民」であったという古い歴史と無関係ではなかろう。「虐げられた人々」が、その苦難の果てに、それを反転させた、ユダヤ・キリスト教的なメシアニズムと終末論は、ロシアでは、スラブ主義という徹底した民族主義的形式をとった。

この「民族主義的メシアニズム」は、イワン雷帝（イワン4世）のモスクワ公国の確立によって、正教会とツァーリズムの専制権力を合体させた神権政治を実現し、やがて神聖ロシアをして世界救済を使命とする独自のメシアニズムへと成長する。

西ローマ帝国からビザンチン帝国に引き継がれた「アウトクラトール」という観念がある。このギリシャ語が意味するのは、絶対的な力をもった支配者である。今日いうところの専制君主である。ローマの皇帝の称号だったアウトクラトールはビザンチンをへてロシアの皇帝に受け継がれた。しかも、三浦によれば、ロシアのアウトクラトールは、「慈悲深いイエス・キリストの地上における代理人」というビザンチン的な観念をもち込むものであった。「第三のローマ」によって、ロシアがビザンチン帝国の後継者を自認したときに、ロシア皇帝は、神の代理としてこの世を支配する絶対的な権力者となったのである。正教会において、ロシアは、支配者から下層の民衆、農民を含め一体となる。その意味では、正教会こそがロシアを代表するとさえいえるのである。

もちろん、歴史の流れをみれば、ピョートル大帝のようなヨーロッパ主義者も出現する。ピョートルは、正教会の総主教を排除し、教会を世俗権力の統率下におこうとした。18世紀のエカテリーナ女帝も同様に、正教会の抑圧政策をとった。しかし、その間にも正教会の信徒はむしろ、地方へと散らばり苦難のなかで伝道の道を選んだ。

ちなみに、19世紀に日本へやってきたのが東京にニコライ堂を造った若き修道士ニコライ・カサートキンであった。概していえば、ロシアは、常にヨーロッパ的なるものと、反ヨーロッパのロシア主義の間を揺れ動いている。「文明」と「文化」の間を揺れ動いているといってもよい。

しかし、その間も、ロシアでは決して正教会は消えはしなかった。いやそれどころか、18―19世紀にかけての正教会の苦難の時期にこそ、未来における救済というメシアニズムが、いわば地下にともされた灯(あかり)のように燃え続けていたのであろう。

それはソ連社会主義の時代においてもそうである。スターリンやフルシチョフの反宗教政策にもかかわらず、正教会の灯は消えることはなかった。民衆の信仰は常に正教会において生きており、正教会における信仰は、表面上の支配体制はどうあれ、常にロシアの「歴史的・文化的中層」を流れていたのである。

そこにはひとつの歴史意識があった。19世紀には、それは、反西欧を掲げるスラブ主義者によって「ロシア・メシアニズム」と呼ばれ、独特の終末論と世界救済論を唱えることとなる。彼らは、合理主義的な西欧近代文明を批判し、ローマ・カトリックとは一線を画すものであった。真のメシアニズムは、ロシア正教会によってのみ可能となるというのであり、ロシア革命もこの精神においてみなければなるまい。

井筒は、ロシアの作家メレジュコフスキーの言葉を引きながら次のようなことを述べている。ロシア革命のなかには、「全世界的教会性の原理」、つまり、ある究極の真理のうちに「人類を全世界的に団結させよう」という希求が潜んでいた。ロシアの民族的メシアニズムは、ロシアを救世主とする世界性をもっているのである。これは、ロシア革命には、ある強烈な宗教的原理が潜んでいたということを意味していた。

「万国の労働者よ、団結せよ！」は、西欧啓蒙思想のひとつの流派というよりも、明らかにメシア的であり終末論的な響きをかもしだす。一見したところ、無神論的な装いをまとったロシア革命は、それを裏返してみれば、そこには、ユダヤ・キリスト教の終末論が縫い込まれており、狂気のような熱狂は、ユダヤ・キリスト教的なメシアニズムと黙示録の産物ともいえるのではなかろうか。

ロシア文学研究者の亀山郁夫は、20世紀の幕開けからロシア革命にいたる十数年をさして、ロシア精神がこれほど高揚した時代は、その一千年の歴史においてもまず見当たらない、といっている。

その高揚とは、「終末」と「革命」への熱狂にほかならない。ロシア革命の前夜には「ロシア人の民族的遺伝形質ともいうべき『終末』への熱狂」が人々を飲み込んでいったのだ（『終末と革命のロシア・ルネサンス』〈岩波書店〉参照）。

それは、輝かしい未来の建設という夢と希望に満ちたものというよりも、あくまで「終末への情熱」なのであった。たとえば、アメリカ独立革命のような「はじまりへの情熱」などとは対極的なものである。アメリカにおいては、革命は「はじまり」であったが、ロシアでは、革命はまずはそれまでの歴史の「終末」であった。「終末」の意識が、その後にくるユートピアを幻視させる。だから、革命は「終末への情熱」によってもたらされたのである。

この、陰鬱や憂鬱を反転させたような奇怪な熱狂は、ベルジャーエフのいう「終末の民」としてのロシア人の終末願望によって駆動し、その奥底に「千年王国」を予想させるものだったのである。

第一次世界大戦は、まさに西欧文明の没落を、つまりは終末の到来を予感させるものであったが、ロシアでは、それ以前からすでに古代、異教への回帰、神秘主義の台頭、原始主義、そして集団主義的な自我といったありとあらゆる試みが恐るべき勢いで噴出していた。そして最終的にでてきたのが共産主義への願望であった、と亀山は述べている。

かくて、20世紀初頭のキリスト教的な終末論の没落の後に出現したのが、最終的に共産主義革命であった。ほんの十数年の間に、「終末論」は「革命論」へと変貌する。

亀山郁夫は、あるインタビューのなかで、ロシア人の根底にある「ノスタルジー」の観念に触れつつ、次のようにいっている。

「ノスタルジアというのは、まさに『終末』の痛みの中で表れる『全一性』の感覚なんですね。これはものすごく貴重な感覚で、神と故郷が一つとなるユートピア的一体性の感覚に通じています」（『クライテリオン』２０２２年9月号所収）。

「神と故郷が一つとなるユートピア的一体性の感覚」とは、いっさいを大地的なもののなかに飲み込んでしまう「根源的自然」と、この宇宙と、すべてを超越した絶対者が一体となる一種の神秘的な法悦であろう。その神秘的な法悦において、神による全世界の救済とロシアの大地が一体となる。ロシア革命は、どこか、神による世界救済的な意味を与えられ、共産主義のユートピアは千年王国のいいかえであるかにみえる。「ロシア的メシアニズム」は沈潜しながらもロシア精神の水脈を流れ続けていたと思えてくるのである。

第4節 ❖ 『旧約聖書』の影響下にある世界

終末論的な気分

こういう境地はわれわれにはなかなか分かりにくい。想像はしてみるものの、われわれ日本人のもっている自然観、宗教観、歴史観とはかなり違っている。おそらくは、ローマ教会を土台に近代合理主義を生みだした西欧思想にとっても容易に理解できるものでもなかろう。その意味では、きわめてロシア的というほかない。

だが、もしも、ロシア文明の「根源感情」にここで論じてきたような何かがあるとすれば、ロシアと西欧近代の精神を隔てる溝は容易には埋めがたいといわざるをえない。

もちろん、井筒のいうような「ロシア的人間の性格」が、冷戦をへて今日のグローバリズム時代にまで保持されているとみるのは無理があるかもしれない。今日のロシアに、原初的自然観や、憂鬱、ノスタルジー、終末意識といったものがあるのかどうか私には分からない。ましてや、「ロシア文明の根源感情」がプーチンの無謀なウクライナ侵攻をもたらした、などということはできまい。

しかし、歴史の表層の現象においてわれわれがみるのは、せいぜい、指導者が何らかの意思と意図をもって遂行する行為とその帰結に過ぎない。民衆の意識の背後に鬱勃（うつぼつ）とうごめいている非合理的な衝動や感情や、それを作りだしている精神風土は決してみえてこない。だが、だからといって、その「隠された意識」が作用していないという理由はない。

とすれば、この「根源感情」などというものは、今日ではすっかり剝がれ落ち、ロシアのなかからすっかり姿を消したと断定するのも性急であろう。

むしろ冷戦後のグローバリズムが、世界中で自らの歴史的・文化的背景に対する関心を高め、民族的・宗教的意識の覚醒を促しているとすれば、今日のような現代文明の没落の予感こそが、ロシアにおいてある種の「終末論的な気分」を意識の表面へと押し上げたとしても不思議ではなかろう。

しかも、実はそれはロシアだけのことではないように思われる。もしかしたら、より重要なことに、同じような歴史的・文化的な基底、もっと端的にいえば宗教的な基底は、それを否定し続けていた当の西欧近代文明においても、薄ぼんやりとであれ、その姿を見せているのではないだろうか。

第3章でも述べたように、西欧文化がいわゆる「近代」を生みだしたひとつの決定的な出来事は、16—17世紀にかけての暗黒の宗教戦争にあった。それは、ローマ教会の支配から独立した世俗的国家の原理を打ち立てたからである。

形式上、政教分離が成立し、国家の主権は神から独立した。そしてそれが、18世紀以降の西欧の主権国家体制を生みだし、またそこに「国際関係」や「国際法」なる近代的観念が姿を現した。主権国家の成立が、自国と他国を一本の境界線で隔てたのである。

その後、国家の主権をめぐる18—19世紀にいたる騒動は、西欧に個人主義や自由・民主主義、法の支配などの観念をもたらした。これが「西欧近代」である。そして、繰り返すが、西欧（特にアメリカ）は、これらが普遍的価値であるがゆえに世界化できると主張したのである。

だがロシアには、そうしたものはまったく存在しなかった。いやロシアだけではない。イスラムにも中国にもインドにもアジアにも存在しなかった。日本はそれを必死で模倣・導入したが、本当は日本にも存在しなかった。西欧近代のほうが特殊といえば特殊なのである。

この一事をとってみても、もし仮に、「根源的自然という混沌」「陰鬱と憂鬱という根本的気分」「ロシア的メシアニズム」「終末と革命」「終末への熱狂」などという「根源感情」の残滓が今日のロシアに多少でも残っておれば、彼らが、西欧近代の合理主義とその産物に対し強い違和感を抱いても不思議ではなかろう。

ロシアにとっては、西欧の政教分離や主権国家や国際法や自由・民主主義などよりも、自らの勢力圏を維持して、己の文化の核にある神聖を守り、強力な世俗的権力によってロシアの力を再興することのほうがはるかに重要だとみえたとしても、不思議ではあるまい。

ネオコン型のメシアニズム

しかし、さらにいえば、「近代」をもたらしたはずの西欧においても、本当に「近代」は確立しているのだろうか。

表層においては、確かに政教分離や主権国家体制、自由・民主主義、法の支配などという「普遍的価値」が確立しているようにもみえる。とりわけ、政教分離によって宗教は個人の内面に追いやられ、世俗的生活から姿を消したかのようにいわれる。

しかし、それは近代主義者の過剰な思い込みである。西欧においても、相当に厳格な政教分離を実践しようとしているのは、公的な場に宗教的なものをいっさいもち込むことを禁じる「ライシテ原則」を掲げるフランスぐらいであり、そのフランスでも明らかにイスラム教に対する警戒感は覆い隠すことはできない。いや、その「ライシテ原則」こそが、かえって宗教的確執を生んでいるのだ。

そこで、より大事なことに、深層の「文化的・精神的風土」まで降りてみれば、西欧近代の「普遍的価値」の背後には、実際にはしっかりと西欧の歴史・文化の堆積層がみえてくるのであり、そこには、ユダヤ・キリスト教の宗教的痕跡が間違いなく刻印されているのではなかろうか。

だから、世俗的生活と宗教は、欧米においてもきれいに分け離されているわけではない。アメリカでもヨーロッパでも、いまでもイスラム移民をめぐる騒動や確執は絶えない。いや、対立の激しさは21世紀に入ってますます増幅している。

また主権国家体制といいながら、西欧諸国は、ロシア（ソ連）、中国、イスラムなど非西欧文明に対抗するためにNATOやEUを作った。もともと、西欧の啓蒙主義には、主権国家体制を止揚する「世界連邦」や「世界連合」の構想があったのだ。

こういうことは、18世紀西欧の啓蒙主義においても明確にみとることができる。たとえばカントは、『世界公民的見地における一般史の構想』において、人類に共通する「普遍的歴史」を構想したが、その背後にキリスト教の影をみたとしても決して錯覚ではなかろう。ヘーゲルの歴史観とて同じである。また、自由や平等、人権、法的意識の背後にキリスト教があることはしばしば指摘されることで、あえて論じるまでもないだろう。

今日、この普遍的世界史思想の後継者は、グローバリズム・イデオロギーというべき「ネオコン（新保守主義）」である。自由・民主主義等の普遍性による「歴史の終わり」を強力に打ちだしたのは、アメリカの「ネオコン」であった。「ネオコン」については、すでに第3

章で述べたので、ここでは再述しないが、この背後に、ユダヤ・キリスト教のメシアニズムの残響を聞き取ることは決して無謀ではない。

冷戦後のグローバリズムとは、彼らにとっては、西欧近代の諸価値の世界化の時代であり、そのことによって世界平和が達成される。つまり歴史は終わる。世界は西欧の近代的価値によって画一化され、そのもとに全体的秩序が打ち立てられる。この歴史的な役割を帯びて、敵対者と対峙するのがアメリカの使命だというのである。

ここには、メシアニズムに固有の終末論があり、世界主義的で全的な一体感があり、また千年王国論の投影を透かしみることができる。神との契約によって与えられた彼らの使命をそこにみることもできる。

結局、冷戦以降のグローバリズムを主導する思想である「ネオコン」は、ユダヤ・キリスト教的なメシアニズムを核として、カント、ヘーゲルの理性主義的な世界史のヴィジョンを合体させ、さらには、アメリカ建国以来のプロテスタントの強い選良意識と使命感を溶けあわせて出来上がったといっても過言ではなかろう。しかしそうだとすれば、その根底にあるものは、『旧約聖書』からでてくる歴史観というほかあるまい。ユダヤ・キリスト教は苦難と救済の歴史を物語る。「悪との戦い」の勝利とは、神による世界の救済なのである。

こうなると、まったく異なった歴史的・文化的背景をもち、大きく異なった精神風土をもつ西欧文化とロシア文化のなかに、両者を貫通するあるひとつの宗教的精神をみて取ることさえできるのではなかろうか。ユダヤ・キリスト教的なメシアニズムである。

19世紀ロシアの終末論とスラブ的メシアニズムはロシア革命へと行き着いた。だがその後、それは、冷戦をへて、21世紀のグローバリズムのなかで、アメリカのネオコン型のメシアニズムへと引き継がれた。こういうことになろう。

もちろん、この「引き継がれた」というのはいささか象徴的ないい方であって、思想や思考様式の伝播のことである。そしてこの思想の形を作っているのは、この場合、両者に共通するある宗教的論理である。

受難の歴史がついには終末を迎え、それが神の審判なりキリストの再臨なりによっていっきに反転し、千年王国というユートピアへ行き着く、というメシアニズムの論理が、ロシア文明と西欧（アメリカ）文明の土壌において、独特な文化的な変容をこうむりながらも、基本的には同型の歴史観を生みだしてきた、ということである。

いや、より正確にいえば、紀元前2、3年頃に成立したユダヤ教の黙示思想、たとえば『旧約聖書』に含まれる『ダニエル書』は、きわめて謎めいた象徴的表現で、ある種の黙示を与える。

それをユダヤ人は次のように解釈した。神によって創造されたこの世界で、人々は神との契約を履行せず世界は悪に満ちている。そこで神は、一度、この世界を滅ぼす。終末である。その後に、神は一部の者たちを救済して新たな世界を創造し直す。その終末のときにいわば神の代理として世界の救済に現れるのがメシアなのである。このような思想は、『新約聖書』に含まれる『ヨハネ黙示録』をも貫いている。

この苦難の歴史のなかにありながら、悪が打ち滅ぼされ、世界の終末の後に到来する至福の時間を待望するという思想は、律法を重視するユダヤ教の正統派からは大きく外れているが、むしろその異端においてキリスト教へと受け継がれたのであり、それが与えた「思考の型」は、ひとつの歴史意識として、もはやあからさまに「神」を語ることのないこの「神なき時代」にも受け継がれてゆく。

もともと、ユダヤの救済を約した神（ヤーウェ）はまた人類の創造者であるがゆえに、人類の救済者となるのは一理ある。特にキリスト教をもちだすまでもなく、この黙示録的歴史意識は、ユダヤ思想を核にしながらも、その舞台を世界全体へと拡張していったのだ。

おそらく、その背後には、ローマによる支配以後、世界中に散らばって自らの故郷を失ったユダヤ人のディアスポラ性もあったであろうが、いずれにせよ、ユダヤのメシアニズムは、姿を変え、変形されながらも、キリスト教やイスラム教へと受け継がれ、その後のセム的一神教の世界において歴史の潜勢力となっていった。

もちろん、今日、メシア思想が表立って語られることはまずない。だが、19世紀ロシアでは、それは、ロシアの「根源感情」と結びつきながら、ロシア的メシアニズムとなり、ロシア革命の底流を形作った。アメリカにおいては、これもメシアニズムとはいわないとしても、世俗化された救済と解放の思想がネオコンの世界秩序構想にまで行き着くのである。

とすれば、今日のグローバリズムの世界を生きるわれわれは、どうやら、依然として、多かれ少なかれ、2000年以上前のユダヤ人の神の影響下にある、ということにもなろう。だが、それは、果たして、「われわれ日本人」にとってどのような意味があるのだろうか。そのことを、われわれは改めて問い直すべきではなかろうか。

終章

もうひとつの歴史観

「リベラルな価値」の真価とは

本書で私は、ロシア・ウクライナ戦争についてある程度のページを費やした。しかし、この戦争を論じることが目的ではない。ロシア事情にもロシア史にもまったくの素人(しろうと)であるにもかかわらず、多少そのあたりの解説や論評を記しておいたのは、このロシアなるものの理解が、グローバリズムと呼ばれる今日の文明を論じるためには、ちょうどよい素材だと考えたからである。

念のために繰り返しておくと、私が関心をもつのは、今日のグローバル文明を主導しているひとつの歴史観であり、その歴史観の拠ってきたるところであった。今日の歴史観とは、歴史を一本の時間軸の流れに沿った出来事の経過として捉え、やがてきたるその終局を予見するという種類のものである。

かつてのマルクス主義がその典型であった。社会主義の崩壊後、さすがにマルクスはかつての神通力を失ったが、それにかわって、少し遡って改めてヘーゲルに着想をえた直線的歴史観は、装いを新たにしつつ、今日のグローバル文明を支えている。ここには、直線的時間に沿った文明の進歩という観念があり、その観念を正当化しているものは、「リベラルな価値」の普遍性という信念であった。いいかえれば「近代主義」の普遍性といってもよい。自由・民主主義、それに法の支配や人権思想、公正な市場競争などの観念を、私は決して否定するものではない。しかし同時にまた、それを無条件に正義とみなして、その普遍性を強固に主張することには決定的に異を唱えたい。

なぜなら、少し考えても分かるように、自由の背後には秩序がなければならず、民主的平等の背後には権威がなくてはならず、人権の背後には人に権利を与えるより超越的な価値がなければならず、市場経済の背後には決して金銭的な市場競争にさらされてはならない非市場的な価値があるからだ。

背後にある「秩序」「権威」「超越的な価値」「非市場的な価値」といったものを仮に「伝統的価値」と呼んでおこう。ところが、しばしば、「リベラルな価値」は、「伝統的価値」を攻撃し、それを歴史の進歩に対する、そして人間の自由や解放に対する障害だとみなす。

こうなると、自由は暴走して勝手気ままな放埓（ほうらつ）にいたり、平等はいかなる差異にも異を唱える不平不満の集積となり、権利の要求は、増長した自己利益の隠れみのとなり、市場競争は、格差のあげくに社会秩序を壊してゆくであろう。

今日、日本や欧米のようないわゆる西側の先進国にあって、社会をきわめて不安定にし、生活のなかにあって様々な精神的なストレスを生みだしているものは、「リベラルな価値」に対する障害というよりも、むしろ、「リベラルな価値」による「伝統的価値」の破壊であろう。しかも、それは、西側先進国というだけではなく、実に、非西欧世界においてはいっそう顕著なのである。

「伝統的価値」は、多くの場合、これと明言されたり、教義や思想として表現されたりしにくい。それは、ある社会や文化において、そのなかに生きる人々の精神性、生活の習慣、人間関係のあり方などと直接結びついており、それらの日常性のなかで育てられ、また維持されるものだからである。

本当は、「リベラルな価値」の真価は、その抽象的な理念にあるのでも、またそれを理想の旗として掲げる社会運動にあるのでもない。そうではなく、それが具体的な場所や場面で、伝統的な価値や文化に立脚し、人々の生き様や死に様などとしっかりとつながりつつ、人々の生活や精神を豊かにしてゆくその作用にこそあるはずだ。

しかしながら、「リベラルな価値」の普遍性や絶対性を唱えるものは、敵は支配層にある、敵は既得権益層にある、敵は伝統を墨守する守旧派にある、といい、最後には、敵はこの私を苦しめている社会そのものにある、といいだす。

だが、それは無限の社会変革を唱えるだけで、何も生みはしない。そこにあるのは、永遠に成熟しない革命もどきの気分と、延々と続く改革主義・変革主義である。そしてそのことが、われわれをいっそう窮屈な社会へと追いやり、さらに不満と不安を増幅させることになろう。

もちろん、世の中には多くの問題があり、自由や平等に対する障害や侵害はいくらでもある。具体的な悲惨について、「リベラルな価値」を掲げて社会変革を唱えることを私は否定しないし、批判するつもりもない。それは個々の問題である。

しかし、社会変革を、歴史の必然の流れに竿さすものとして固定化し、批判を受け入れなくなると、逆に、このリベラルな価値こそが、人々の精神の健全性を蝕み、やがては、ハーメルンの笛吹きのように、予想もしなかった抑圧の海へとわれわれを連れてゆくであろう。われわれが生活している、この、いわゆる西側先進国はすでにそういう回路にはまり込んでいるのではなかろうか。

支配されるものの知恵

だが、果たして、それを押しとどめることはできるのであろうか。あるいは、「リベラルな価値」の暴走をわれわれはただうなだれて見守る以外にないのだろうか。「リベラルな価値」の普遍性という主張は、世界史の普遍性という主張に行き着く。ヘーゲル主義者は、世界史は「主人」と「奴隷」、つまり「支配するもの」と「抑圧されたもの」の対抗の歴史であり、革命と変革の歴史である、という。この革命と変革の先に、「リベラルな価値」が姿を現して世界史は完成する、という。だが、本当にそうであろうか。

世界史どころではない。この進歩的歴史観の本家本元であるヨーロッパにおいても、この普遍的世界史という歴史観に対する強い反発はあった。だから、本書で私は、ヘーゲル流の進歩的歴史観を、あたかも西欧の唯一の歴史意識であるかのように論じたが、それは修正する必要があるだろう。西欧には別の歴史観も着実に流れているのである。そのことにも少しは触れておきたい。

いうまでもなく、「別の歴史観」とは、イギリスにおいて典型的な保守主義的な歴史観である。

ヘーゲルやコジェーヴはフランス革命を準拠として、この革命によって実現された（とされる）、自由、平等、人権などを普遍的で絶対的な価値とみた。しかし、このリベラルな価値にも、そしてそれを生みだしたフランス革命にも強烈な反論を呈したのが、イギリスの政治家で著作家であるエドマンド・バークであった。イギリス保守主義の生みの親といわれる人物である。

イギリス保守主義については、論じるべきことはずいぶんあるが、本書はあくまで「リベラルな歴史観」を主題にしているので、しごく簡単に述べておきたい。

バークの保守主義の基本的な立場は、政治体制や社会秩序を、革命という過激なやり方で変革するフランス革命の精神への批判に示されている。政治体制や社会構造には、多くの矛盾や非合理的な不都合がある。しかし、それはあくまでその国の歴史や国民性に依拠しつつ、徐々に変革すべきである。決して革命のごとくいっきに政治権力の転覆を意図したり、社会秩序の大規模な転換をはかってはならない、という。

なぜなら、革命精神を鼓舞する「正義」の主張は、それがいかにもっともらしく、また合理的で理想的にみえたとしても、正義そのものが絶対化されるやいなや、この正義こそが社会の大混乱と無秩序をもたらし、そこからとめどない権力闘争を引き起こし、そのあげくに、デマゴーグによる支配しか生まないからである。

いかなる社会にあっても、政治的権力がなくなることはありえない。とすれば、支配・被支配の関係がなくなることもありえない。また、社会から、ある種の権威や秩序の源泉となる非合理的なものがなくなることもありえない。人は、決して理性と合理的精神のみで生きるものではなく、自己の精神の安寧を与えてくれる世俗を超えた権威や、また日常生活のなかに埋め込まれた儀礼作法や道徳観や習慣に従って生きるものだからである。

それらを性急に破壊し、無に帰そうとする合理的な精神は、ただ理性の驕り（おごり）、人間の知力の致命的な思い上がりに陥るだけで、決して人々の生を幸福にするものではない。

したがって、問題は、いかなる非合理的なもの、慣習的なものが認められ、いかなる支配体制や権力の行使が許容されるべきか、にある。不都合なものは一掃されるべきではなく、いかなる不都合を許容すべきかが問題なのである。

その答えは、確定的なものではない。明確に確定的なことは何もいえない。しかし、イギリスには、この問いに答えるイギリス流のやり方があった。それは、「支配層」をひっ繰り返すという劇的な政治体制の変革を求めず、「うまく支配される」ことを制度化する「支配されるものの知恵」であった。

ここには、イギリス独特の社会構造と精神構造がある。それは、政治社会を「主人」と「奴隷」の対抗とみるのではなく、むしろ、「主人（マスター）」と「使用人（サーヴァント）」の関係とみるような社会観である。階級をなくすことはできない。完全に平等な社会などありえない。支配権力は必要である。

とすれば、支配者は、あたかも一族の「主人（マスター）」として、一族全体の利益や繁栄を常に考慮し、また、支配されるものは、抑圧された奴隷ではなく、マスターに仕えるサーヴァントのように、一族の実務を担う。しかも実際には、サーヴァントがいなければ一族は成り立たない。マスターもそのことは先刻分かっている。サーヴァントは支配されているが、実際には、うまくマスターを動かしている。

したがって、支配する側、つまり人の上に立つものに対してイギリス人が与えた名称は「ジェントルマン」であった。ジェントルマンは、自己利益の追求者であってはならない。そこには、「高貴なものの義務（ノブレス・オブリージュ）」がなければならないのである。

こういうモデルがイギリスにはあるように私には思える。「権力」は不可欠である。とすれば、「支配されるもの」はうまく支配されるのがよい。「支配するもの」もうまく支配しなければならない。支配者の義務がともなうのである。

「時効の原理」と宗教的精神

実際には、どちらがどちらを動かしているのかはよく分からない。そこに「支配するもの」と「支配されるもの」の一種の暗黙の約束ができる。この黙約によって社会は何とか安定する。そして、この「支配者」と「被支配者」の関係を正当化するものは、明示された社会契約でもなく、もちろん革命でもなく、この支配・被支配が、歴史のうちに相当長期にわたって継続したという事実だけなのである。

バークはそれを「時効の原理」といった。歴史のなかでの継続こそが、「時効」としてその事実が受け入れられたことを示し、それが権力に暫定的で仮の正当性を与えるのである。そして、このような、常に保護観察期間にある権力のもとで、イギリス人は、「イギリス人の権利」を生みだし、成長させてきた。それは、イギリス人が先人から受け取った相続財産である。それは決して普遍的な「人類すべての権利」ではない。イギリス人民が歴史のなかで現実化してきた様々な具体的権利の集積であった。

だからバークは、自分は、ついぞ、人権などというものをみたこともない、私が知っているのは、あくまでイギリス人の権利だという。フランスにはフランス人の権利があり、イタリアにはイタリア人の権利がある。これがバークに始まるイギリス保守主義の精神なのである。

バークが重視したもののなかに、もうひとつ、宗教的精神があった。イギリスの宗教的精神はいささか特異なものである。イギリス国教会は、名目的にはカルヴァン主義のプロテスタントでありながらも、その儀礼様式などはカトリック的であり、また、様々な党派を包摂するものであった。

今日、イギリス人にアンケートをとってもおそらく宗教熱心な信者は少ないであろう。にもかかわらず、国教会を中心とする宗教的な意識や、地域生活の核としての教会は、明確な信仰心をともなわなくとも、かなり曖昧な形でソフトに人々の意識に根を下ろしていると思われる。

さもなくば、イギリス人の王室に対する強い共感はなかなか説明できないだろう。しかも、その国王がイギリス国教会の頂点に君臨することによって、キリスト教は、いわばイギリスの国教となっている。政教分離どころではないのである。形式上はイギリスは政教一致なのである。

こうして、ここには、カント、ヘーゲル流の普遍的世界史観とはまったく異なった歴史観がある。歴史は、革命や変革を繰り返しながら、「リベラルな価値」を実現すべき時間軸を一直線に走りゆくようなものではない。宗教や非合理的な信条から脱して、すべてを世俗的な合理的理性によって照らし出すことを文明の進歩とみる歴史観はここにはない。

歴史は、決して、過去から引きずってきたものを容易に捨て去りはしないし、またそうすべきでもない。過去の遺産は時間のなかに堆積し、繰り返し掘り出される。過去は現在にいかされる。時間は決して一直線に記述できるものではなく、分厚い層をなしている。

この層の下方に堆積した遺産は決して過ぎ去って放棄されるものではなく、それをいかに将来に役立てるかこそが課題となる。「役立てる」ことこそが大事なのであって、そこに合理も非合理もない。世俗も宗教もない。どちらもが遺産として保持されるべきなのである。そして、この「保持する」知恵こそがイギリス保守主義の真骨頂なのだ。

私自身は、西欧の歴史意識として、イギリス流の保守主義に強い共感を覚えるし、また、いくらこのグローバル文明の時代になっても、それは、結構、西欧には残っているようにも思う。ただ保守主義というものはあまり社会の表面にはでてこない。理念や思想として表明されることもあまりない。保守主義とは、明確な思想や理想としての言表にはそもそもなじまないのである。

イギリスの政治哲学者のマイケル・オークショットのいい方を借りれば、保守主義とは、ある種の「人間の性格」なのである。それは明確な世界観や思想ではなく、人の「生き方」であり「考え方」であり、端的にいえば「精神の構え」の問題である。だから保守主義についての一般的な言表は難しい。あくまで、それぞれの国や地域や場所に即して具体的に語るほかないのである。それは、アメリカの社会学者のロバート・N・ベラーのいう「心の習慣」なのである。

人間を突き動かす価値観

私は、イギリス流の保守主義に共感を覚えるし、またそれが今日でも、とりわけ西欧には結構残っている、といった。とはいえ、今日のグローバリズムのもとで保守主義がかなり劣勢であることは否めない。死に絶えたとはいわないまでも、どうみても分が悪い。冷戦以降、アメリカが中心となって作り上げたこのグローバリズムの核に居座っているのは、ヘーゲル理論を現代的に改訂して世俗化した普遍的歴史観であり、「リベラルな価値」の普遍性である。

しかしまた、私がこの本で強調してきたことは、その「リベラルな価値」の失墜であった。その結果としてのグローバル文明のあちこちから噴出してきた矛盾であり、亀裂である。

明らかになってきたことは、アメリカを軸にするリベラルな歴史観の普遍性なるものが、まずは、どうやら西欧近代の産物であり、決して欧米以外の他の地域にとって納得できるものではない、ということであった。これがまずは目につく事柄だ。

そして、そのことは次に二つの重要な論点へとわれわれの目を向けるであろう。第一に、この歴史観をもう少し深く掘り下げれば、欧米文化の基盤をなしているユダヤ・キリスト教と無関係ではないということである。

そして第二に、この歴史観を前提にして改めて世界をみれば、ユダヤ・キリスト教のメシア的な救済史観は、欧米のみならず、ロシアやイスラム諸国にまで影響を及ぼしている、という事実である。

こうなると、問題は、ただ西欧近代のリベラルな価値観というだけではない。

人間を動かすものは、利益や権力の追求であり、また価値やイデオロギーである。そしてその場合、人間を突き動かす価値観には二つの次元がある、と本書では述べてきた。ひとつは、意識的で表層的な次元であり、しばしば理念的で理想的に堂々と語られる価値がある。しかしそれだけではない。

もうひとつ、深層の次元にある、ほとんど無意識の、しかしより強力な価値観があり、それは、多くの場合、宗教意識やそれと関わる自然観、歴史観、死生観、宇宙観、といったものだ。文化のなかに保存されてきた、このような深層の価値観が、人を無意識のうちに突き動かす。このように考えてみたいのである。

グローバリズムが、結局は、富と力をめぐる人々の、そして国家間の激しい競争になり、それが、いくつかの戦争や領土争い、資源争奪戦などをもたらした。あくまでその背景には、このグローバリズムを先導し、かつ扇動した欧米の深層の価値観が横たわっている。それは、もとをただせば、『旧約聖書』に行き着く一神教的価値観である。

私は聖書にはほとんどなじみもなく、本来は、旧約聖書的な世界などというものを口にする資格はまったくないのだが、本書において、多少の初歩的解説をあえて記したのは、『旧約聖書』が開いた一神教的世界が、いまだに現代文明の世界観の根底に生きており、そのことを無視して現代文明を語れないように思うからだ。

ハンチントンは、『文明の衝突』において八つほどに文明圏を区別した。そして、それらを特徴づけるものとして宗教意識に着目した。キリスト教、イスラム教、ギリシャ正教、ヒンズー教、儒教などである。ところがハンチントンが述べていない宗教がひとつある。それはユダヤ教である。もちろん、イスラエルを別とすれば、ユダヤ教はひとつのまとまった文明圏を作っていないので、述べる必要はなかったということではあろう。

しかし、逆にいえば、ユダヤ教の特質は、ゾンバルトも、またサルトルも述べるように、それがパーリア性（寄留性）としての世界性をもち、世界中（といっても、イスラエルとアメリカで全体の約9割を占め、他は欧州、ロシア、南米、オーストラリア等である）にその茎を延ばしている点にある。その意味でいえば、ユダヤ教の聖典である『旧約聖書』の世界観は、これらの地域の文化の基底を支えているといえるだろう。

もちろん、私は特にユダヤ教やユダヤ人について論じたいわけではない。「ユダヤ人」というものを特定化して論じているわけではない。あくまで「ユダヤ的なもの」について論じている。

『旧約聖書』のなかに描かれた世界観や歴史観――苦悩し抑圧されるものが最後は救われるというメシアニズム。歴史は最終的な局面で、カタストロフィーであれ、ユートピアであれ、神の意思による終末を迎えるという終末論。最終的に救済されるのは、個人であれ、民族であれ、神に選ばれたものであるという一種の選民思想――へと傾斜する強い思考様式、それこそが「ユダヤ的なもの」なのである。

この『旧約聖書』の一神教の放つ思想的なエネルギーには強力なものがあり、それが作りだす磁場には、まだ神の影がみえ隠れする。この世界観と歴史観が、21世紀になっても現代文明を動かしている。

しかし、私が本当に関心をもつのは「日本」である。日本人の「根源感情」とは何なのか。日本文化の「深層価値」とは何なのか。われわれの無意識の思考を突き動かしているものとは何なのか。こういう問いである。

旧約聖書的な世界観や歴史観は、われわれの深層価値のどこを見渡しても、まずでてきそうもない。歴史をユートピアへ向けて進歩するとみる意識もなければ、終末へいたるという悲壮な覚悟もない。世界を普遍的価値を実演する舞台へ変革するなどという意識も根性もない。『旧約聖書』が神の「創造」から始まり、人間が神の「創造」を引き継いだように、西欧には、自らが世界を「作る」という思考が強力に作用している。「世界を作る」とともに「歴史を作る」のである。

幸か不幸か、日本文化には、そんな豪快な、もしくは騒々しくもあつかましい思想はない。

世界を造形しようという思想もなければ、歴史を一定方向に引っ張ろうという意識もない。あるとすれば、歴史は自然の働きによって「なるようになる」、もしくは、せいぜい丸山眞男がいったように「つぎつぎになりゆくいきほい」で動いていく、というぐらいのところであろう。おそらく、日本文化の深層価値も、日本人の「根源感情」も、『旧約聖書』からでてきた諸文明とは大きく異なっているだろう。

そのことが私には気になる。もちろん、では中国の「根源感情」とは何か、また、これから世界史の中心国家のひとつになるであろうインドの「根源感情」は何か、イスラムの場合はどうか、と問いたくもなる。それは興味深い論点だが、そこまで話を広げる力量は私にはない。日本文化の深層だけで精一杯である。

ただ、日本の今日の不幸は、おそらく、日本文化の底に静かに横たわる深層価値と、われわれが理想として信じているかにみえる表層のリベラルな価値が、大きく食い違っている点にあるのではなかろうか。だから、われわれは今日、何事にも確信がもてないという何とも頼りない価値ニヒリズム状態に陥り、フェイクと真実を見分けることのできない情報空間をぶざまにさまよっているのではなかろうか。このようなことが気になる。日本文化の深層価値は何なのか、私なりに見当をつけたいとは思うが、それはすでに本書のテーマを超えてしまっている。また別の機会にまとめることができればと思っている。

特別対談

「資本主義」への異論のススメ

斎藤幸平 × 佐伯啓思

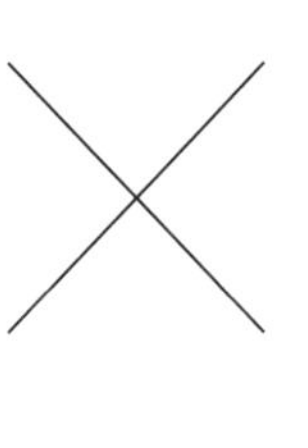

撮影：丸山 光

［さいとう・こうへい］
東京大学大学院総合文化研究科准教授。1987年生まれ。ベルリン・フンボルト大学哲学科博士課程修了。博士（哲学）。
専門は経済思想、社会思想。Karl Marx's Ecosocialism: Capital, Nature, and the Unfinished Critique of Political Economy（邦訳『大洪水の前に』角川ソフィア文庫）によって権威ある「ドイッチャー記念賞」を日本人初、歴代最年少で受賞。同書は世界9カ国で翻訳刊行されている。日本国内では、晩期マルクスをめぐる先駆的な研究によって「日本学術振興会賞」受賞。『人新世の「資本論」』（集英社新書）で「新書大賞2021」を受賞。

本書の最後に、経済思想研究者の斎藤幸平さんと行った対談をお届けしたい。斎藤さんは『人新世の「資本論」』（集英社新書）、『ゼロからの「資本論」』（ＮＨＫ出版新書）などの著者であり、マルクス主義の研究者として名高い。私は「保守」、斎藤さんは「革新」ということになっているが、「脱成長で近代を乗り越える」という問題意識は共通している。この対談では、マルクス、革命、近代文明、さらに斎藤さんが重要視される「コモン」などについて、お互い遠慮することなく論じ合うことができたと思う。

基本的な立場は非常に似ていた

斎藤　私が佐伯啓思先生に初めてお会いしたのは、確か2019年12月ですね。佐伯先生が『ひらく』という雑誌の監修者をされていて、ある日、とつぜん京都に呼ばれて、『ひらく』に論文を寄稿してほしいとご依頼を受けました。そこで、「資本主義の引き起こしている気候変動と脱成長」という論稿を書かせていただきました。その後コロナ禍になって、1年以上前だと思いますが、『人新世の「資本論」』についての合評会をもっていただきました。

佐伯　あれは、「『日本文明』研究フォーラム」でしたね。

斎藤　佐伯先生と親交のある先生方が出演されているところで、私の『人新世の「資本論」』を批評していただきました。先生とはそういう交流がコロナ禍以前から続いています。今回私は『ゼロからの「資本論」』という本をマルクスとの関係で書いていて、コミュニズムについて新しい視点も盛り込んでいます。佐伯先生からご批判をいただけると思いますので、よろしくお願い致します。

佐伯　こちらこそ。今、斎藤さんがおっしゃった通りで、何年か前に私が監修している雑誌に、若い元気のある人に経済について論じてもらいたい、批判的に論じてもらいたい。そういう趣旨で人を探していたのです。そしたらある若者が、斎藤さんを推薦してくれて、これからどんどん出てくるという。それじゃあ、一度会ってみたいと思い、お頼みして京都の喫茶店で話しましたね。斎藤さんがあの新書を書く前の話です。あのとき書かれていた……？

斎藤　ちょうど書いていた頃でした。

佐伯　そうお話しになっていましたね。そしたらあれよあれよという間に、大ベストセラーになってしまった。改めて言っておきますが、あなたが超売れっ子になったから頼んだわけじゃない、その前から頼んでいた（笑）。

斎藤　しっかりと目をつけていただいていた、と（笑）。

佐伯　そんな前置きをしておいて、真面目な話に入るとしましょう。僕自身、経済のあり方はちょっとまずい、この成長主義はいずれ頓挫するし、こんなことを続けていたら大変なことになってしまう、脱成長に切り替えていかないとだめだと、かなり前から思っていました。そういうテーマの本も書いていた。その意味で、斎藤さんとは基本的な立場、問題意識、出発点は非常に似ていて、共感していました。しかしどういうわけか、僕は保守であなたは革新だった。僕は、マルクス主義に対しては大きな疑問をいろいろもっていて、僕自身はマルクス派には一切関与してきませんでした。斎藤さんは、もっぱらマルクス思想でやるという立場ですね。しかし問題意識は共有していて、結論も比較的……。

斎藤　似ていますね。

佐伯　似ています。言い方、方法論は違うけれど、似たところへ着地していて、その真ん中がどういうふうになるのか、その辺を議論したいですね。

斎藤　佐伯先生は『さらば、欲望』（幻冬舎新書）の中でもお書きになっていますが、今は、自然環境を守ろうということには右も左も、保守も革新もないという共通認識が醸成されています。人が生きていくうえで他の生物のことを考えれば当然、地球を守っていこうとなるからです。また、格差の拡大とか社会における様々なコミュニティをどうするかといった話も、本来は右も左もあまり関係ない問題です。でも、どうしてもメディアとか論壇、SNSでは、「右か左か」、そして「どちらが正しいか」という構図になりがちです。

そういう意味で、「マルクス主義者」を自認する私は、初めてプラットフォームの書評会に呼ばれたりすると、やはりドキッとしたりする。他方で、実際に佐伯先生とお話ししてみると、寛容の精神というか、立場は違っても対話していろいろ考えたらいいじゃないかという態度でいらっしゃる。

ですから今回も、私の『ゼロからの「資本論」』について率直に先生と議論すれば、誰も気がつかなかった点が浮かび上がってくるのではないかと思います。まず、先生はこの本をどう読まれましたか。

佐伯　面白く読ませていただいたし、改めて社会主義やコミュニズムを考える契機にもなりました。前に斎藤さんにも言ったけれど、世代的に言うと私はちょうど学生運動世代ですよ。大学紛争世代といいますか、全共闘世代です。だから60年代後半あたりの学生は、基本的に文系の学生はたいていマルクス主義でした。マルクスをほとんどみんな読んでいます。

斎藤　当時は、そういう学生が多かったでしょうね。僕自身もマルクスを勉強したくて経済学部に入った経緯がある。

マルクスのもっとも革新的な論点とは

佐伯　最初はね。その頃、日本は高度成長の真っ最中だし、アメリカはベトナム戦争などでおかしくなってはいるけれど、それでもものすごく豊かな国でしたね。そういう状況のなかで、しかし、この繁栄は見せかけだという感じが少なくとも僕にはあったし、僕の周りの若い学生たちにもそういう気持ちはあった。そのことを自分なりに解き明かしたい。そうすると、それを問題にしたのはマルクスなのですね。だからマルクスから入った。1年ぐらいマルクスを私なりに読んだり勉強したり、学習会みたいな研究会にも参加していました。
しかし結局、僕はマルクスから離れました。そこで、まず斎藤さんに聞いておきましょう。当時からマルクスに対する、典型的ないくつかの批判があるのです、理論的な話ですが。やはり僕には、それが気になった。そこを斎藤さんは今どういうふうに考えられるのか、お聞きしたい。一つは『資本論』の最大の貢献は、ブルジョワ社会、資本主義社会においては、表面上、公正な交換をやっているようにみえると。万事、法律通り、合法的に公正に行われている、と。

斎藤　資本主義のもとでは誰もが自由で平等だ、という話ですね。

佐伯　しかし、それはあくまで現象面で、実態は資本が労働を搾取している。そういう階級関係がどんどん深まっていくところに資本主義の矛盾があり、それがマルクスの一番革新的な論点だと当時は考えていた。今でもそう思っていますがね。

そのことをマルクスは論理的に解き明かしたけれど、その解き明かし方が例の「労働価値説」です。労働価値説をもってくることによって、労働者は生活のために働いて、自分の労働分の商品の価値をもらっている、しかしそれを合法的にやればそこから剰余価値が生み出されて、資本家は利益を手に入れることができる。これは最初は非常に新鮮だったけれど、やはり労働価値説には無理がある。あらゆるものが労働価値で測られるというのは、抽象的人間労働といってもやはり無理だろう。

まして現代になると、たとえば様々な専門的な職業が出てきたりする。今日だと情報科学とか生命科学とか、こんなものが時代の最先端で巨額な利益を生む。GAFAみたいに。そうすると労働価値説ではいくらなんでも説明できないだろうという感がますます強くなります。まず一つ、それは昔からいわれるマルクスに対する批判だけれど、そこをまずお聞きしましょうか。

斎藤　なるほどおっしゃる通りで、だからこの『ゼロからの「資本論」』ではそういう「労働価値説」を、従来の論理構成では扱っていません。

今までは、労働価値説をベースにして、「剰余労働が搾取されていて不公正だから、労働者は立ち上がらなければいけない！」みたいに、搾取を暴露することで革命の必然性、必要性を示すというのが定石でした。でも今回の本はそうではありません。もちろん搾取の話もしてはいますが、むしろ筆を起こしたのはそこではなく、『資本論』の冒頭、第1章が「商品」の話から始まっているというところでした。

今回の本で力点を置いたことをここで二つ挙げると、一つは、私たちの社会で「富」はそもそも「商品」である必要はないということです。富は、商品になることでむしろ貧弱になったり破壊されたりする。環境問題や文化の問題など私たちの社会のあり方を、より広い視野で、資本主義との緊張関係において浮かび上がらせるうえで、富という視点を入れることが有効です。

もう一つは、これはマルクスがむしろ搾取より強調したかったことではないかと私は思うのですが、いわゆる物象化ということです。つまり、富が商品になっていくことによって、商品によって人間が振り回されるようになることです。私たちが何を欲するか、どう振る舞うかなど、意識や行動が商品や資本の論理によって規定されるようになってしまう。そして、その結果、私たちは自分らしさ、人間らしさ、ひいては人間の主体性みたいなものを失っていってしまう。これが二点目です。

こういう議論をひとまず展開するために、実は労働価値説というものは、必ずしも不可欠というわけではない――要らない、と言うと語弊がありますが。実際、私は、労働価値説の根源的な意味は擁護(ようご)したいと思うのです。ただその擁護の仕方がこれまでとは少し違う。たとえば、全ての価値を労働時間に還元していって、この商品の価値は何時間の労働によって生まれたからいくらいくらだ、みたいな数学モデルを作れるようなものとして労働価値説を考えているわけではない。これは、マルクス自身が展開しようとした見方では必ずしもないと私は考えています。労働価値説の根幹は、人間は労働しなければ生きていけないということであり、それ以上ではないからです。けれども、その労働が生み出す生産物に人間が振り回されるようになる。この物象化論を軸としてマルクスを読んでいくというスタイルが本書の特徴です。

佐伯　確かに人間関係が商品関係として現れてくる。で、社会的な富というものは全て市場で交換される商品となり、だから消費という形になって現れる。だけどその商品というのは今おっしゃったように労働価値と言っていいようにも考えられる。限定する必要はないかもしれないけど、人間の労働によって生み出される。

斎藤　そうです。

私たちは「プチ資本家」

佐伯　生産労働によって生み出される。そのときに物象化とも関わるけれども、これも昔からある、いささかステレオタイプな批判だけれど、そこでいわゆる剰余価値をもっていってしまう階層ができる。つまり搾取する資本家と、それからもっぱら働いている労働者。この二つのタイプの人間に分けられる。だからそこで物象化のあり方はちょっと違いますよね、資本家と労働者では。

そこはどうですか。つまり資本家と労働者という二つのカテゴリーに分けてしまうという考え方は。現代資本主義は資本家が労働者を搾取しているという、そんな簡単な話ではない。資本と経営の分離もありますしね。資本家っていっても、株をもっている者はみんな資本家になってしまうわけだから、われわれだってどこかの株を買えば、下手したら資本家になってしまうわけで、そこは一体どうするんだっていう、よくある批判ですが、どうですか。

斎藤　はい、これも、マルクスを物象化ということを軸にして読むと、資本家も労働者もある意味では、同じようなものだという見方ができます。

マルクスは第1章、「商品」章の冒頭で、まったく階級関係を前提としていません。階級の話はずっと後で出てくるわけです。最初の「商品」章でマルクスが展開している物象化、つまり人間が商品の運動によって振り回されるようになる、あるいはお金の力によって振り回されるようになるという議論から考えると、労働者も当然振り回されるけれども、資本家だって振り回されているということであって、これはまさに今、佐伯先生がおっしゃったことです。資本家だって必死に、株価をどう上げるかを常に考えているし、どれだけ利潤を増やすかということを常に考えている。

そういう意味では、両者に大きな差はないといえます。もっとゆっくり暮らして趣味や家族との時間を楽しみたいと思ったり、私生活を犠牲にして、全身全霊で24時間、資本を増やすためのコマとして生きている点では、もちろん待遇は違うにせよ、同じようなものだろうと。日々の買い物でもやしが1円安いとか高いとかを、資本家は気にしないで生きていけるだろうけれども、常にお金のこと、商品のこと、利潤のことを考えなければいけないという意味では、労働者とそうは変わらないと、マルクスは考えていた。

それで面白いのがさっきの株の話で、私もこの本のなかでまさにNISAのような株のことについて書いています。誰でも投資ができる今の社会では、私たちはプチ資本家です。そうなると何が起きるのか？　私たちは、NISAで投資した金が30年後に増えていたら老後の資金にもなるからと、「株価が上がってほしい！」と切実に思い、資本主義の繁栄を強く願うような存在になっていくのです——投資額は月にせいぜい2～3万円なのに。こうした形で、私たちの趣向が階級を超えて、物象化のもとで、どんどん貨幣や資本の論理に規定されるようになり、「包摂」されていってしまう。そういう事態をひとまず考えるために、マルクスの「商品」章の議論は有効だと思うのです。

搾取の問題、剰余価値の問題については、マルクス経済学の歴史で膨大な蓄積があります。価値を時間に還元するために、どう時間を測定するかとか、どの産業は生産的でどの産業は非生産的だとか、考えなければならないことが山ほど出てくるわけです。しかもなかなかそれが一致しないために論争がある。

私自身は、それを証明することがさほど重要だとは思っていません。そもそも、搾取の存在はもう明らかではないでしょうか？　今の社会を見れば、Amazon のジェフ・ベゾスみたいなクソ金持ちがいる一方、Amazon の倉庫で働いている人たちは休みが取れなかったり時給が安かったりしてとても豊かとはいえない。ここに搾取がなかったら何だ？っていう話です。別に数式で厳密に証明しなくても、誰が実際に働いて、ベゾスの資産を増やすような労働を行っていて、貧しいままなのかということは自明なんです。なんの不思議もない。

むしろ私にとって不思議なのは、それほど搾取されているにもかかわらず、日本ではなぜ人々が何も文句を言わないのかということです。なぜ、それでも毎日早朝6時に起きて、8時の満員電車に乗って通勤をするのか。コロナ禍で一時、事情は変わったかもしれませんが、少し収まると元通りです。不思議といえば、こっちのほうが不思議なわけですよ。普通だったらもう辞めちゃって、フランスでやってるみたいに石でも投げるでしょう。しかし日本ではそうならない。

私たちはなんだかんだ言いながらも、お金がないと困るからと「資本主義が繁栄して、日本経済が発展して、それで俺の老後を守ってほしい」みたいなメンタリティを強化していく、この物象化の仕組みを明らかにするときに、マルクスの経済学批判の有効性があると私は思っていますね。

佐伯 そのときに使う「搾取」という概念ですが、斎藤さんは今「朝の6時に起きて満員電車に揺られてっていう生活はどう考えたっておかしい」という。おかしいのは僕も認める。まったくおかしい。心理的には受け入れられないですよ。確かに電車を止めたくもなってきます。大昔、僕らが学生のときには、本当に電車を止めていたのですよ（笑）。

斎藤 そうですよね。

誰が俺をこんな目にあわせている？

佐伯 それはともかく、搾取っていったときに誰が俺から搾取したか、俺は誰にいじめられているのか、誰のせいで社会的にひどい目にあっているのかと考えても、分からないと思うのです。俺は今とんでもなくつまらない仕事を延々とやらされているかもしれない。じゃあ俺は誰に文句を言うべきなのか。誰が俺をこんな目にあわせているのか、実は分からない。そういう話だと思う。昔は比較的分かりやすかった。たとえば労使対立がありましたから。鉄道会社の組合がストライキやったり、バス会社がストをやったりして。それは構図が分かりやすい。

しかし現代社会では「誰が誰を搾取している」というようにはっきりと簡単にはいえない。だから斎藤さんがおっしゃったように、全てが物象化されているというか、みんなが巨大なシステムのなかに入り込んでしまっている。GAFAのような小さい国のGDPよりも大きな金を稼ぐような会社が出てくる時代です。

それは非常に不公平で、とんでもないことだとは思います。思うけれども、じゃあ彼らが何かとんでもない搾取をして、無茶なことをやっているかというと、そうはいえない。あなたもおっしゃったけど、彼らも彼らでそれなりにこの現代社会のお金の奴隷になってしまっている。お金に魅入られてしまっている。

すると今度はそういう人たちがNISAとか政府を使ってみんなで株式市場へ投資しましょうと言い政府も音頭をとる。株式市場に入れ上げたら、そこに入っている金融資本やヘッジファンドは巨額の利益を得ます。彼らも得するけれど、そこへ入っていくわれわれもなけなしの金で株を買って、わずかばかりの儲けが出たと喜ぶわけです。

みなが程度の差はあっても、それで喜んでいる。この全体が現代のシステムなのです。はたしてこのシステムを、悪と呼びえるのか。

マルクスもそうです。マルクスも、資本家が悪いなんて言っても仕方がない、これは資本主義的生産システムそれ自体が問題なのだと書いていますね。このシステムを問題にしないとしょうがない。体制の問題なのです。そうすると誰を攻撃するというよりも、斎藤さん的に言えば、確かにもう革命しかないじゃないか、資本主義体制をぶっ壊すしかないじゃないかということになる。こういう話に確かになるでしょうね、一つの思想として。

しかし僕はそこまでは言わない。このシステム全体をぶち壊すことは不可能だろうし、そんなことをしてもしょうがない。じゃあ先ほど言ったような全然面白くない仕事をして大変な苦労をしている人をどうするか。エッセンシャルワーカーなんかでもそうです。とくに今回のコロナ禍で問題になりましたけれども、本当に社会を支えている人たちがとんでもない安い給料で、大変な仕事をやっているわけですよね。それは確かにおかしい。しかしおかしいと思うからといって、このシステム全体をぶっ壊せばいいかというと、やっぱりぶち壊せないし、そこで働いている人たちもそこまでは大きな声を上げないのです。なんとかやり過ごそうとする。そこに問題の焦点があると思うのです。

資本主義をどういうふうに捉えるかということもありますが、問題は資本主義にあるのか、もう少し別なところにあるのではないかという話になる。それはこの前も話した、僕と斎藤さんの一番大きな違いになってきますね。僕の場合には、ある人たちが得をしていて、ある人たちはとんでもない目にあっていると考えるのではなくて、みんな同じ価値観で同じシステムのなかに入っている、全ての人がみんな同じシステムに踊らされているけど、少なくとも一人ひとりの人間はそのシステム全体を変えようというところまでは思っていない。

斎藤さんの気持ちは分かるし、僕も似たような感覚はもっています。もってはいるけれど、それは個人的な怒りです。個人的には怒りをもっている。そういう個人的な怒りがすごく大きくなれば何かしら運動が起きるでしょうね。暴動が起きるでしょう。しかし、現実に暴動は起きない。起きないということは、みんなやはりそのなかで、なんとかやり過ごそうとしているということになるじゃないですか。

いわゆる〝革命〟には訴えない

斎藤　そうですね。だから私も、いわゆる革命ということにはやはり訴えられないですね。私の本、『人新世の「資本論」』でも、今回の『ゼロからの「資本論」』でも、やはり最終的には資本主義というシステムを何らかの形で大きく転換しない限り、格差も、気候変動も解決はしないだろうといっています。でも、それはいわゆる暴力革命によるものではないと考えているのです。

『ゼロからの「資本論」』ではソ連とか中国とか、20世紀型の「社会主義」を批判しましたが、そうした20世紀型のいわゆる革命によって今のシステム全体を変えられるわけではもはやないだろうと。それはまさに佐伯先生がおっしゃった通りです。これだけ複雑なシステムがグローバルに絡まり合って、金融システムからデジタルプラットフォームまでこれだけ込み入ったシステムを、国家権力を一挙に奪取するような、いわゆる革命でもって、社会主義なるものに転換できるわけがない。むしろ、それを無理矢理やろうとすれば再び、ある種の前衛党主義であるとか民主集中制であるとか、そうしたトップダウン型のものが出てきて、結局は民主主義とか人々の自由というものが犠牲にされてしまう。実際にソ連も失敗したわけです。

私は１９８７年の生まれで、大学に入った２００５年頃は、誰もマルクスなんか読まない時代でした。やはりこの15年ぐらいをみると、リーマンショック以降、資本主義の様々な矛盾がグローバルに現れてきている。それでも、資本主義というもの自体が問題なのだ、これが第一に変えなければいけないところなのだと言う人が誰もいない。そんななかで私はマルクスを読んできたわけです。さらには今、気候変動問題、パンデミック下でのエッセンシャルワーカーの待遇の問題も含めて、資本主義こそが問題だと指摘せざるを得ないような状況が出てきているわけです。

しかし、だからといって、いわゆる革命という形で20世紀型の社会主義に戻ることはできない。そういうなかで私が今回の本で伝えようとしたのは、19世紀のコミューンみたいなものにマルクスが晩年になって魅かれた理由です。私たちが考えるような20世紀型の社会主義体制とは違う、平等な社会の実験、具体的にはパリ・コミューンについてのマルクスの文章を今回は取り上げました。パリ・コミューンは2カ月半でつぶされていますから、何か永続的なものを作ったわけではないのですが、平等で、支配のない社会を作り出そうとした壮大な実験ではありました。私は、ここにこそ「コモン」という言葉を使うのです。

物象化の力が浸透してしまった社会で、私たちは資本主義にどっぷり浸かって生きていくこともできるわけです。どっぷり浸かって、そのなかで出世して、そのなかで投資していう生き方もできるけれども、そうではない、「富」や「共助」の次元、アソシエーション的な次元に領域を開くようなコモンの場というものを社会のなかに作っていくこともできる。そうすれば、多くの人たちが、今すぐに資本主義を転覆させるような態度ではなく、「半身で」資本主義に付き合うことができるようになっていく。

その「半身」の部分を使って、さらにコモンを広げていくことができれば――それは脱商品化とかいろんな言い方ができると思いますが、必ずしも貨幣、商品、資本の領域でない次元が世の中に広がっていくことになれば――何らかの新しい社会の萌芽を、私たちはより具体的に思い描けるようになると思います。

そこでもまだ、資本主義的なものは残ると思います。そこが、実質的には佐伯先生と私が大枠で見通している世界ではないか、つまり結論としての社会のイメージは似ているのではないかと思います。もしかしたら、そこまで行ったら、多くの人たちが「もうこれでいいじゃないか」と言って資本主義そのものを乗り越えようという気運がなくなり、運動が立ち消えになってしまうかもしれません。そうなればいつまでたっても資本主義は乗り越えられないけれど、私が考えていたのはそういうプロセスでした。

いずれにせよ、いわゆる革命モデルの限界を、佐伯先生と私は共有していると思います。だからコモンなのだという、そんなイメージですね。

佐伯　コモン的なもの、あるいはコミューン的なもののなかで、資本主義で半身に構えようとする。半分は資本主義のままでね。完全に否定するのは簡単ではない。とりあえず半身でいこうと。そこの結論はだいたい同じです。ただ、同じだけれど、僕の場合にはそこに行く手続きが違うのです。

そこはわりと大事な点で、先ほどあなたも現代社会は非常に複雑なシステムになっているとおっしゃった通りで、その複雑さは僕なりに言うと、たとえば京大の山中伸弥教授がｉＰＳ細胞を開発しましたね。ｉＰＳ細胞は恐ろしく画期的な開発です。つまりわれわれが考えていた常識が完全に覆ってしまったわけですから。生命プロセスというものは、必ず一定の方向に進んでいく、逆戻りはできないと思っていたのに、一定の手続きで逆戻りできるという話です。受精卵の少し先まで逆戻りさせて、そこからもういっぺん再出発できるという、とんでもない話なわけです。

これはたとえば、遺伝子治療だとか遺伝科学だとか、細胞科学だとか、医学全般を含めて、われわれの考え方を非常に大きく変えましたね。これは医学の大きな進歩といえば進歩なのです。近代医学が達成した大変な成果です。多くの人はこの成果を受け入れるでしょう。すばらしいものだと思うでしょう。山中さんは立派な人で、大変な学者だと思う。しかし、この開発はとんでもないことかもしれない。つまり人間というものを根底から変えてしまうような技術の発見です。

最近のＡＩもそうですよね。人間ができないような脳の働きをＡＩが代替してくれる。下手な政治家よりもみんなＡＩ政治家に任せたほうが世界はうまくいくという、そんな話も出てくるのです。

「脱成長」は可能か

斎藤 流行り（はやり）の成田悠輔さん（米イェール大学助教）ですね。

佐伯 僕にはまったくつまらない話としか思えないけれど、そういう話が出てきても何ら不思議はない。そんなところまで来ているわけでしょう。もうほとんどの人が受け入れているし、政府もデジタル革命の推進を唱える。これが、現代社会なのです。

こういうものと資本主義が結びついている。つまり近代的な合理主義、科学、科学技術の応用、それが全部人々の幸福につながるという信念ができてしまいました。それによって一人ひとりの寿命も延びれば活動領域も広がる。自由も拡大する。最近のバーチャル技術を使えば自宅にいながらにして、アフリカであろうが南極であろうが、どこへでも旅行できる。こんな途方もない話になったわけです。時代の最先端とやらは、ここまで来てしまっている。

こういうこと全部を含めて現代です。僕は資本主義と言わないで、その現代文明を問題にしたいのです。資本主義がその核にあることは間違いない。しかしその資本主義を支えているものは、今言った科学や合理主義、それから「寿命をもっと延ばしたい」「自由をもっと拡大したい」といった人間の欲望や、世界中を知りたいという知識欲。さらにアメリカは今、火星まで人間を送り込もうとしている。そんなことに僕はまったく何の関心もない。斎藤さんもたぶん関心ないと思うけれど。しかし世間にはそういうものに魅かれる人がずいぶんいるわけです。こういうふうなことを、全部まとめてひっくり返さないと革命は無理だと思うんだよ。脱資本主義はね。

これを僕は一応、近代主義の悪しき影響と言っておきたい。つまり、人間は自己を無限に拡大したい、富を無限に拡大したい、自由を無限に拡張したい。できるだけ多くの情報を得たい。世界をできるだけ身近なものにしたい。こういう欲望が確かに人間のなかにはある。しかしこの欲望は人間の歴史のなかで特定の形をとって出てくる。

それはヨーロッパで言うと、15世紀末の地理上の発見あたりから明瞭にそういう動きが出てきます。それが近代化を生み出したし、産業革命も生み出した。あるいは場合によっては市民革命を生み出した。そういう一連の流れの突出したところに現代文明があって、だからこの全体を根本から疑わないと、簡単には逆転できないだろうという気がするんです。そこはどうですか。

斎藤　まさにおっしゃるように、近代主義を乗り越えるのは非常に難しい。そのための方策を私は「脱成長」と呼んでいるわけです。

私は、資本主義を乗り越えた先に、20世紀型でない形の社会主義が実現したとしても、やっぱりそこで、みんなで火星に行こうとか、みんながもっと贅沢な暮らしをできるようにしよう、みたいなことになっては意味がない。それでは結局はますます資本主義的な社会になってしまう。近代主義を乗り越えないままの「ハイパー近代主義」としての社会主義というのが、私はソ連などで見られた20世紀の夢だったと思うのです。一方で、資本主義を批判していた人たちも、資本主義的な、あるいは近代主義的な価値観に立っていた。今や近代主義は私たちの生活の前提、思考の前提になってしまっています。

だからこそ、それを批判することはとてもラディカルなわけです。多くの人は、コミュニズムとか脱成長という言葉を聞いた途端に、思考停止してしまいます。私が何度、「いや、ソ連とか中国とかそういう意味ではなく、こういう意味なんです」と説明しても、もとの強烈な磁場に引き戻されてしまうんですね。これも近代主義の産物といえます。

で、その近代主義の特徴の一つが、今、佐伯先生がおっしゃった、無限の欲望ということですね、「自我の無限の拡大」ともいえます。これが今まさに、地球環境を破壊し、残った資源を奪い合うような戦争型の社会を、世界中に作り出そうとしている。そこをどうやって――これはむしろ佐伯先生にお聞きしたいと思っていることですが――乗り越えていけるのか。この無限の欲望を特徴とする近代はなぜうまくいったのか？　それはやはり人間の本性にかなっていたからではないのか。成田悠輔さんは、私と対談したときにそう言っていました。そういう果てしない欲望が資本主義のもとで歴史的に現れてきて、私たちにこれほどの進歩をもたらしたのは、そういう無限の拡大みたいな傾向が、人間の脳のなかにあったからで、資本主義と脳のマッチングがよかったからだ、というような話です。

だとしても、それを続けていけば必ず地球は滅ぶので、やはり近代、近代主義、無限の欲望を乗り越えていく必要があると私は考えます。この欲望を乗り越えることで、無限の技術革新にも何らかの制限をかけることができるようになるでしょう。逆に言うと、そこにまず楔（くさび）を打ち込み、制限をかけて、そこさえ乗り越えられれば――資本主義の転換、脱成長というパラダイム転換ができると思います。そこから、かなりいろいろなことが動き出していくという予感がしているのです。

ここをどう乗り越えていくべきかという問題については、私よりずっと前から佐伯先生が多くのご著作で取り組んでこられたと思います。現時点でどう考えていらっしゃいますか。

佐伯　脱成長によって近代を乗り越える、あるいは近代の暴走を抑えることができるんじゃないかというふうにおっしゃった。それはもちろん賛成です。その通りだけれど、僕はどちらかと言えば近代というものは一体何なのか、そもそもなぜこんな社会になってしまったのか、近代の暴走を生み出した一番もとにあるものは一体何かということをわれわれがある程度理解すれば、ものの考え方が変わってくるし、拠り所とする価値観が少しずつ変わっていくだろうと思う。だから何か運動を組織したり、コミットすることでまず止めてしまえ、とは言いませんが、何が問題なのかをまず知ろうと努めてきました。マルクス主義ではなく、いわばヘーゲル主義なんですよ。

斎藤　観念論ってことですね。

日本人と自然観

佐伯　僕の考え方はこうなんです。近代はあらゆるものを拡大して、自由を拡大する、それから富を拡大する、世界を拡大する。で、世界を支配する。全てを合理的に科学や技術によって、この自然を管理していく。この発想を生み出したのは、ヨーロッパだと思う。西洋文化だと思います。だから西洋近代社会の背後には西洋文明というものがある。

で、西洋文明の根本的な考え方は、たとえばギリシャ哲学もそうですが、プラトンを思い出していただければいいけれど、そこには「イデア」というものがある。イデアは目には見えません。目には見えない何か、ある理想的な姿というものがある。たとえば水という言葉を僕が発しますね。で、水といっても、思い浮かべるものは人によって異なるでしょう。しかし共通の水というもののイメージはあって、それを抽象化していったところに理想的な水みたいなイメージが出てくる。そういうものをイデアだと考える。プラトンがいったのは、そのイデアに従ってわれわれはこの目の前のコップに入った水というものを現実に手にする、逆に言えば、これはイデアの水ではないけれども、どこかにもっとすばらしい理想的な水があるのだと。

それをギリシャ人は、たとえばポリス（都市）で考えたわけです。プラトンには、理想的なイデアとしてのポリスがある。それはアテネやスパルタのように具体的な都市ではない。しかしイデアとしてのポリスはある。理想的な国家。だとすれば、具体的な都市をわれわれの手で作り変えてイデアに近づけていけばいい。理想的な都市に近づけていけばいいじゃないか。こういう考え方が出てきます。

ギリシャでもプラトン以前はちょっと違うのですが、プラトンがでてきて、そういう考え方がかなり強烈に出てきます。そうすると人間が人間の手によって何か理想的なものを作り出すことができるという発想が生まれてきます。これはギリシャ文明が現代に残した一つの大きな遺産です。

それからもう一つはヨーロッパ文化を支えているものが、ユダヤ教、キリスト教、主にキリスト教だと思いますが、言うまでもなく、キリスト教では神がこの世界を創造し、神は世界のあらゆる存在物を創造しましたね。自然も宇宙も全て創った。そして最後に人間を創ったときに、人間に特権的な地位を与えます。人間は神の教えに従って、神の力を借りながらと言ったらいいのか、半分は神になり代わって、神がやり残した仕事を全部完成させればいい。こういう考え方が生まれる。だからキリスト教のほうからも、「人間がこの世界をより理想的なものに作り変えていくことができる」という考え方が出てきますね。

するとギリシャもそうだし、キリスト教からも、人間というものが特権化されていって、人間がこの自然というものを作り変えることができる、さらに社会も作り変えることができるということになるのです。その延長線上に近代社会が成立する。デカルトが出てきて、人間というものを抽象的な精神と等値する。精神というものは非常に合理的なものですから、合理的な精神によってあらゆるものを人間が自分の都合のいいように作り変えることができる。こういう発想が成立します。人間こそがこの世の中の主人公である、ものを作り変えることができるという発想ですね。

このような西洋思想の流れが、近代の拡張と暴走の根本にあると思うのですよ。イデアとか神が存在すれば、まあ人間は不完全なものですから、人はどこか神を恐れる。神が人間の営みに対して、ある限界を与える。しかし、イデアも神もなくなってしまえば、そういう制約もなくなるわけです。

その制約がなくなったのが近代社会です。取って代わったのが「合理主義」という名の合理的な科学です。人間がそういうものを一種普遍的なものとして捉えてしまった。人間の理性の産物を、普遍的で絶対的なものだと考えてしまった。普遍性をもつと、それが世界中に拡大していきます。普遍的なものを大量生産すればいい。みんな同じようなものを使えば、みんなが同じような生活ができて、みんな同じように幸せになれるのではないか。これも近代の欲望です。

人は自由であり、平等であり、しかもそれを実現するものは合理主義であり、人間の理性であり、様々な技術であり、それがあらゆるものを普遍的に作り出すことができる。同じものを作り出すことができる。こういう考え方が20世紀に入って強烈に前面に出てきて、それと非常にうまく合致したのが資本主義だと思いますね。

資本主義そのものの歴史は古いのですよ。別に近代に始まったものじゃない。資本主義というのは斎藤さんも定義しているように、元手になるお金があって、それをもっと拡大していく運動です。マルクスの「ゲー・ヴェー・ゲー」ですよね。ゲー〈ゲルト〈貨幣〉＝Geld〉がより大きくなればそれは資本の活動になる。それはローマ時代から、フェニキア人もやっていました。それがヨーロッパ文化と一体となって、人間の自由や合理的思考や個人の幸福、そういう観念と結び付いてしまったのが現代資本主義で、そこに今日の資本主義のややこしさ、容易には逆転できない強固な壁がある。だから、そういうヨーロッパ文化の根底には一体何があったのかということを、まずわれわれは知ることが大事なのです。

ついでに言っておくと、僕は日本にはまったく違う文化があったと思っています。違う考え方があったと思っているのです。たとえば「自然」ということを考えてみると、やはりヨーロッパの自然の観念は、マルクスも物質代謝という言い方をしているように、自然というものを物質的にみているわけです。そこから人間に対して有益なもの、大事なもの、便利なものを引き出してくる。エネルギーの源泉として考えてしまう。それは先ほどのギリシャの思考法にも通じますね。

たとえば、ここに木があるとします。木のなかに何か大事なものが埋まっていて、木を彫ることによって、そのなかから何かある製作物が生み出され、現れてくるというふうにギリシャ人はもともと考えていたのです。プラトンはそのギリシャ人の考え方を変えてしまった。人間の頭のなかにまず観念がある。こんなふうに作ろう、こんなふうに彫ってやろうとする観念です。

コップならコップのイメージがある。このイメージをもとにして材質にはたらきかけて、コップを作り出す。すると、ここにあるものは材質、マテリアルです。マテリアルは物質で、そこから自然というものが単なる物質に変わってしまった。自然のなかに何か神的なもの、霊的なものが埋まっているという考え方がなくなって、単に人間が便利に扱える物質に変わってしまった。これは非常に大きな変化で、そこからヨーロッパには、デカルトなどの合理的科学も出てきます。さらに科学技術の発想や産業発展という考え方も出てくる。自然を作り変えていけば、人間はそこから膨大なエネルギーを取り出すことができる、それが人間の幸せになるのではないか。これはやはり物質代謝です。こういう考え方が出てきてしまう。

ところが、日本人は必ずしも自然を物質的なものとは考えないのです。エネルギーが埋まっているものではなくて、自然のなかに神様がいたり、人間の感覚に訴えてくる根源的な生命力があったりする。こういうものを自然と考えた。すると、われわれには、簡単に自然をいじって自分の好きなように変えてしまうという発想が、もともとなかっただろうと思います。日本人のなかにそんな思想はなかった。

それがヨーロッパ、アメリカの影響で、近代になって、そうした発想に変わってしまった。ヨーロッパの近代を生み出した自然観の輸入により、どこかで自然観に大きな転換があった。しかし考えてみれば、自然も万物も全ては神が創った、そのうえで人間をその支配者にした、もしくは、人間が神に取って代わった。そういう近代思想はかなり特異なものですね。その特異な思想をヨーロッパは生み出したから、これだけ巨大な文明を作り出したともいえます。そして、資本主義もそっくりそのなかに入って、その一番中心部に据わってしまった、と僕は考えたいのですよ。

どうして日本人は、かくも資本主義が好きなのか

斎藤　なるほど、資本主義だけでなく、より広い自然観とか宗教感覚とかも、ヨーロッパを中心に発展した近代主義というものの特徴なのでしょうね。

おっしゃるように、日本がそうでなかったと考えると、先ほども言いましたが、どうして日本人はこんなにも資本主義が好きなのかという疑問が浮かびますね。キリスト教も、イデアという考え方もなく、違う自然観をもっていた日本人が、24時間年中無休、翌日配送を可能にして、満員電車に乗り込んで、低賃金でもお客様は神様だと言って文句も言わずにひたすら働き続けている。

他方、ヨーロッパではストライキがしょっちゅう起きていますよね。フランスの例にしても、少しでも気にくわないことがあったら、こんなんで働いてられるかって抗議を表明するのが当たり前だと思われています。とくに年金支給開始年齢の引き上げをめぐってあれだけ

のデモが起きているのは「俺らの人生を資本に売り渡す時間を、これ以上増やしてたまるか」っていう、そういう違和感をもっているからです、フランス人は。あのデモやストを日本人から見ると驚かれると思うんですよ。

日本人は、「副業をしましょう」みたいな趨勢（すうせい）に疑問をもつことすらない。最近では首相まで「育休の間にさらに資格を取りましょう」とか「老人を労働力としてもっともっと活用していきましょう」みたいなことを言い出した。予測不能な子どもへの対応に目まぐるしくて休む暇などない育休の間にさえ、自分の資本としての価値を高めよう、人材価値を上げよう、こういう発想が普段の思考のなかに染みついていることの現われです。ヨーロッパ人から見ると信じられないことでしょう。

佐伯　それはね、一つはヨーロッパのあの人間中心主義なのだと思いますね。労働はもともと奴隷のすることだった、しかしその面倒な仕事をわれわれがつまり労働者が請け負っている、と思っている。だから労働者にも「俺たちが本当は主人公だ」という感覚が染みついている。だから、自分の価値を正当に評価してくれ、ということになる。

一方で日本人なら「ストは行き過ぎだ、こんなことをしていたら批判に晒（さら）されてしまう」となる。年金支給が67歳になったとしてもストはやらずに逆に働く人が多いでしょうね。逆説めくのですが、日本の自然観がそうさせるのだと思いますよ。

よくいわれるように、日本人は「あらゆるものは自ずとなっていく」という考え方を取りがちです。自ずと動いていく、と考えるのです。人間はそれに手を加えないというところがあって、それは日本人の自然観のいいところだけれど、同時に今日では完全に「他人まかせ」という形でマイナスに出ているといえなくもない。今、世界がグローバリズムで競争をやっているじゃないか、だから日本もそれに付き合わないと仕方ないじゃないか。あとはなるようになる。アメリカと中国の思惑がどうあれ、どうせなるようにしかならないという話に落着します。だから、日本人は本質的な意味で、人間というものを考えてこなかったようにも思えますね。

それは、人間と自然との関係に起因するところが大きいように思う。「人間は自然のなかで生かされていればそれでいい」みたいな思いがどこかあって、それは日本人の特性でしょう。僕自身もそういうところがありますから、その心持ちも好きだけれど、こういう状況のなかでは逆の方向に作用してしまうのですね。

それにしても日本人の本来の自然観は一体どんなものだったのか。近代主義の影響で日本人の欲望が無限に拡張したとしても、地球を飛び出して火星まで行きたいなんて、そんな欲望は日本人にはなかっただろうと思いますし、古来の自然観とは相容れないものでしょう。人生観にしても、まあ、70〜80年くらい、それなりに過ごせばいいじゃないか、そのあと他人の細胞もらってきて若返りしてまで長生きするなんて、考えてこなかった。どうぞお構いなく、ですよ。日本人のもっていた価値観、死生観、そういうものをうまい具合に近代主義と折衷するとができれば、日本人も少し変わってくるでしょうね。日本から世界が変わってくる可能性もあると思う。

今、世界は混乱の極みですからね。このままでは、ヨーロッパ型の近代主義と資本主義体制に先はありません。下手すると、最終的にアメリカと中国の戦争になる。日本はもともとは関係ないはずですよ、そんなものに。マクロン仏大統領が「米中の対立はフランス、ひいてはEUに無関係だ」と看破した通りです。ですから日本人が本来あるべき自然観、価値観をもういっぺん思い出して、われわれ日本人はまずは日本の持ち味でやっていく。そうすれば、日本人の思想を世界に発信することができるし、世界にも共鳴する人はいくらでもいるはずです。

“人新世”の時代の価値観とは

斎藤　私の立場は左翼ですから、あまり声高に「日本的」と言うことは憚（はばか）られるところがありますが、佐伯先生がおっしゃったことは分かる、というか共鳴する部分も大きいのです。やはり現状の世界は、先生がご説明なさったように、近代主義とか資本主義のような、いわゆるヨーロッパ的なモデル、また、民主主義のような価値観が、ある面で行き詰まりをみせています。このことは、グローバル化の現代、あるいはアントロポセン（人新世）の時代に明らかなわけで、このまま歴史が進んで問題が解決するだろうと思う人たちは、むしろどんどん減っているわけです。

にもかかわらず、それに代わる社会、代わる価値観、代わるビジョンを、もう誰も提唱できずにいる。というのも私たちは基本的に近代化が始まって以降、とくに日本では明治の初めからということになりますが、欧米的な価値観のもとで、どうやって生き残っていくかに腐心してきました。それまでの日本のあり方を捨てて、どれほど近代化していくか、資本主義を進めていくかということに夢中になってきたわけですね。それが行き詰まっているからこそ、今私たちは新しい価値観を生み出さなくてはいけない。

私はマルクス研究者だから、そこにマルクスというヨーロッパ人がつくり出した思想を結局は再びもってくることになって、そのことでは佐伯先生のお小言を頂戴するわけです

（笑）。物質代謝も自然観も全部ヨーロッパじゃないか、と。確かにそうなのですが、でも少なくともマルクスは、資本主義という近代主義的なものを真正面から批判して、それに取って代わるような社会のビジョンとか価値観を、きわめて体系立った形で打ち出そうとした人です。だからこそ、今の世の中で刮目（かつもく）してほしい。

『ゼロからの「資本論」』でとくに掲げた「コミュニズム」という言葉は、確かに手垢（てあか）もついていて、誤解も招きかねません。新しい価値観の話をするために、あまりイメージのよくない言葉をもう一度もち出してくることに対して、どうなのかと感じる方が少なからずいることも分かるのです。しかし、私はあえて使いました。やっぱり資本主義とは違う価値観を出さなければいけないんだということを強調するために、この言葉が必要だと思うからです。

最近読んだ本に、モリス・バーマンの『神経症的な美しさ』（慶應大学出版会）があります。アメリカ人が日本の社会を分析している本です。日本は非常に短い期間、正確には明治維新から戦後にかけてですが、とくに第二次世界大戦後の数十年間で西欧化、近代化を推し進めたわけです。そのことで日本人がいかにある種の「神経症」になって、傷ついて精神を病んだかということについての分析を行っています。そこで失われたり、壊されたりしてきたもののなかにも、この社会の危機を乗り越えるためのヒントがあると私は考えています。

日本を一方の視点から見ると、本当に成長していないダメな国だと結論しがちですが、それは短絡的です。他方から見れば、バーマンも賞賛しているように、これほど安全で、これほど食べ物がおいしくて、これほど基礎学力が高い国はほかにない。多くの人がそれなりに普通の暮らしを送れていて、格差は広がりつつあるとはいうものの比較的平等な社会で、医療制度も整っていて、文化も非常に豊かですしね。そんな社会って世界を見渡してもなかなかないわけです。

私たちはすぐ、経済だったらアメリカを見ろ、イギリスを見ろ、福祉だったら北欧を見ろ、ものづくりだったら中国を見ろというように自国と他国を比べることにこだわって、自分たちの悪いところにばかり注目しがちです。「脱成長」とは、ある種そういうGDP的な価値観から脱却していこうというときの標語です。自分たちの社会の来歴を照らし直すことで、埋もれてきた価値観を再興して、それを世界に向けて――なんかナショナリストみたいな発言ですが（笑）――提示していけば、むしろ日本が経済成長志向だけではない、とても豊かな社会を作ってきたんだ、というような話になり得るのではないかということです。

佐伯　斎藤さん、保守派の陣営に加わったみたいな感じだね（笑）。

斎藤　そうですか（笑）。ともあれ、問題の本質はそういうことですよ。やっぱり得たものばかりでなく、失ったものからも学ぶ必要があります。

佐伯　党派的な意味で保守とか革新とか、それはどうでもいいことです。

もう一つ、僕が強く感じるのは、ヨーロッパ文化を生み出したヨーロッパの近代主義が、世界的に普遍的な文明を生み出してしまった、つまりヨーロッパを超えてしまったことです。シュペングラーが、文化と文明という言い方をしますね。文化というのは、ドイツならドイツ、フランスならフランスのなかで、一つの文化を時間をかけて創り出している。文化って「カルチャー」ですからね。カルティベイト。時間をかけて、一つの風土のなかで、あるスタイルを育てていこうとするものです。だから文化はそこに住んでいる人間とものの間に生じた一定の交流にあるわけです。ものと人間は切り離されない。

ともかく、今日は大変有意義なお話ができたと思います。とても楽しかった。ありがとうございました。

この対談は、ＭＡＲＵＺＥＮ＆ジュンク堂書店梅田店におけるオンライン・イベントの音声をテキスト化したものを底本に、大幅な加筆修正を加えて原稿化したものです。

PHP新書

PHP INTERFACE
https://www.php.co.jp/

佐伯啓思［さえき・けいし］

社会思想家。京都大学 人と社会の未来研究院特任教授。京都大学名誉教授。

1949年、奈良県生まれ。東京大学経済学部卒。東京大学大学院経済学研究科博士課程単位取得。広島修道大学商学部講師、滋賀大学経済学部助教授、京都大学大学院人間・環境学研究科教授などを経て現職。『隠された思考』（筑摩書房）でサントリー学芸賞、『現代日本のリベラリズム』（講談社）で読売論壇賞、『「アメリカニズム」の終焉』（中公文庫）で東畑記念賞受賞。

著書に『近代の虚妄』（東洋経済新報社）、『従属国家論』（PHP新書）など。2019年から24年まで言論誌「ひらく」（A＆F、第Ⅰ期10巻）を監修。

神なき時代の「終末論」 （PHP新書 1396）
現代文明の深層にあるもの

二〇二四年六月二十八日　第一版第一刷

著者――佐伯啓思
発行者――永田貴之
発行所――株式会社PHP研究所
東京本部――〒135-8137 江東区豊洲5-6-52
ビジネス・教養出版部 ☎03-3520-9615（編集）
普及部 ☎03-3520-9630（販売）
京都本部――〒601-8411 京都市南区西九条北ノ内町11
制作協力 組版――株式会社PHPエディターズ・グループ
装幀者――芦澤泰偉＋明石すみれ
印刷所 製本所――大日本印刷株式会社

ISBN978-4-569-85736-7

ＰＨＰ新書刊行にあたって

「繁栄を通じて平和と幸福を」(PEACE and HAPPINESS through PROSPERITY)の願いのもと、ＰＨＰ研究所が創設されて今年で五十周年を迎えます。その歩みは、日本人が先の戦争を乗り越え、並々ならぬ努力を続けて、今日の繁栄を築き上げてきた軌跡に重なります。

しかし、平和で豊かな生活を手にした現在、多くの日本人は、自分が何のために生きているのか、どのように生きていきたいのかを、見失いつつあるように思われます。そして、その間にも、日本国内や世界のみならず地球規模での大きな変化が日々生起し、解決すべき問題となって私たちのもとに押し寄せてきます。

このような時代に人生の確かな価値を見出し、生きる喜びに満ちあふれた社会を実現するために、いま何が求められているのでしょうか。それは、先達が培ってきた知恵を紡ぎ直すこと、その上で自分たち一人一人がおかれた現実と進むべき未来について丹念に考えていくこと以外にはありません。

その営みは、単なる知識に終わらない深い思索へ、そしてよく生きるための哲学への旅でもあります。弊所が創設五十周年を迎えましたのを機に、ＰＨＰ新書を創刊し、この新たな旅を読者と共に歩んでいきたいと思っています。多くの読者の共感と支援を心よりお願いいたします。

一九九六年十月

ＰＨＰ研究所